Historia
de
México

Íñigo Fernández

Historia de México

◆

Un recorrido desde los tiempos prehistóricos hasta la época actual

MONCLEM ®

Historia de México

Primera edición: 2002
Edición revisada: 2020
Trigésima reimpresión: 2023
Copyright © by Monclem Ediciones, S.A. de C.V.
Leibnitz 31, Col. Anzures 11590, México, D.F.
monclem@monclem.com
Tel.: (55) 5255 4288
www.monclem.com
Impreso en México
ISBN 978-970-9019-11-7

Índice

Introducción

Suele decirse que la riqueza de un país radica en su historia y su cultura. En ese sentido, México es una nación afortunada pues no carece de ninguno de estos ingredientes, por el contrario, es poseedor de una historia variada e interesante que nos ha permitido a quienes vivimos en este país ser herederos de una cultura riquísima.

Para entender la historia mexicana hay que comprender que México es indígena y español, es producto de la fusión de estas dos culturas; producto que no sólo heredó elementos "paternos y maternos" sino que también logró desarrollar los propios a lo largo de los siglos para adquirir un sello personal como nación.

A pesar de que México forma parte de este gran conjunto cultural y lingüístico de naciones conocido como Latinoamérica, su historia es diferente a las demás; pues, mientras que la mayoría de ellas compartieron los mismos libertadores o insurgentes durante sus guerras de independencia, México tuvo los propios. Mientras que el resto de las naciones latinoamericanas lograron independizarse sufriendo pocas pérdidas entre sus habitantes, México tuvo que perder a un sexto de su población para obtener su libertad. Nuestro país es la primera nación latinoamericana (y del mundo) que llevó a cabo una revolución de carácter social al inicio del siglo xx, y cuyo resultado fue la promulgación de la que en ese momento fue la Constitución más progresista del orbe.

Por todo lo anterior, el lector tiene entre sus manos un compendio del pasado de México que rescata los elementos primordiales de su historia, aquellos factores que han hecho que este país sea tal y como es hoy en día.

Capítulo 1

De la llegada del hombre a América hasta el Imperio mexica (35 000 a.C. a 1519)

La llegada del hombre a América

Entre aquellos que se dedican al estudio de la Prehistoria se apoya la idea de que los primeros pobladores de América no eran originarios de este continente. Al respecto son dos las preguntas que se han planteado. ¿De dónde procedieron los primeros moradores? ¿Cómo llegaron a América? Hay dos teorías que buscan dar respuestas a estas interrogantes.

1.- El origen único. Según esta propuesta, el hombre americano procedía de Asia. En tiempos de la última glaciación los niveles del mar descendieron y quedaron temporalmente al descubierto nuevas tierras. Esta condición permitió a los asiáticos atravesar el estrecho de Bering y establecerse en Alaska hace 35,000 años. Los emigrantes continuaron su travesía hacia el sur del continente en busca de mejores tierras y climas más cálidos que favorecieran la caza y posteriormente la recolección.

2.- El origen múltiple. Quienes sustentan esta teoría reconocen que aunque el estrecho de Bering fue la ruta migratoria más importante, no fue la única. Afirman que también los habitantes de las regiones australianas y malayopolinesas llegaron al continente gracias a sus canoas y a sus conocimientos de las corrientes marítimas y eólicas. Algunas similitudes físicas y lingüísticas entre diversos grupos indígenas del norte, centro y sur del continente americano sustentan esta hipótesis.

REGIONES DE MESOAMERICA

GOLFO DE MEXICO

OCEANO PACIFICO

1 NORTE DE MÉXICO
2 AREA DE GOLFO
3 ALTIPLANO CENTRAL
4 AREA DE OCCIDENTE
5 AREA DE OAXACA
6 AREA MAYA DE MÉXICO

En la zona conocida como Mesoamérica que cubría México, Guatemala y parte de Honduras y el Salvador, se desarrollaron notables culturas.

Los primeros pobladores de México se establecieron hace 20,000 años en el norte del país, pero como dependían de la caza comenzaron a moverse hacia el sur y a concentrarse en el valle de México por su clima y la abundancia de recursos naturales. Esta situación les restaba autonomía, pues una vez que ya no había qué cazar debían emprender el camino hacia otras regiones para poder subsistir. Tal forma de vida se vio radicalmente transformada a partir del siglo VII a.C., cuando los americanos descubrieron la agricultura domesticando a la planta del maíz. A partir de entonces, los clanes se sedentarizaron y con ello surgieron las primeras villas; se comenzó a desarrollar una división sexual del trabajo, en la que las mujeres se dedicaban a la siembra y recolección y los hombres a la caza. En pocas palabras, la domesticación de la agricultura favoreció el inicio del desarrollo cultural de algunos pueblos americanos.

Aunque todo el territorio que actualmente ocupa México se encontraba habitado, sólo en algunas regiones dentro del territorio de Mesoamérica hubo un desarrollo cultural diverso. La extensión de esta región era amplia pues en el norte abarcaba los estados actuales de Coahuila, Durango, Nuevo León, San Luis Potosí, Sonora y Zacatecas, mientras que en el sur llegaba hasta los límites de lo que hoy en día se conoce como Nicaragua. A lo largo de 4000 años surgieron en toda Mesoamérica culturas que, a pesar de las distancias geográficas y cronológicas, compartieron rasgos espirituales (mismos dioses con diferentes nombres, la creencia en un "más allá" y la necesidad de crear templos para adorar a las divinidades) y materiales (agricultura, el uso de calendarios lunares y solares, mercados especializados y la talla de piedra).

Para poder estudiar a las diversas culturas mesoamericanas, los especialistas las han agrupado, por su antigüedad, en tres horizontes culturales o periodos:

• El Preclásico (2300 a.C. al 0 d.C.).

• El Clásico (0 al 900 d.C.).

• El Postclásico (900 d.C. al 1519 d.C.).

En estos tres horizontes surgieron varias civilizaciones prehispánicas: olmecas, culturas del Occidente, culturas del Altiplano Central, totonacas, huastecos, zapotecos, mixtecos, mayas (que a su vez se dividían en una serie de subgrupos), tarascos, toltecas, teotihuacanos, tlaxcaltecas, mexicas, xochimilcas, cholultecas, etcétera. Aunque cada uno de estos grupos fue importante en la región, aquí sólo se hablará de aquellos cuyos aportes políticos, económicos, culturales y religiosos generaron una influencia poderosa y cambios notables.

La cultura olmeca

Fue la primera que surgió en Mesoamérica, en la época Preclásica. Muchos historiadores también la han denominado "la cultura madre" porque ejerció su influencia en otras zonas, como la del Altiplano Central, Guatemala y El Salvador. Los grupos olmecas se asentaron en los estados de Tabasco y Veracruz, en un área cálida y con abundantes tierras fértiles bañadas por los ríos Grijalva y Papaloapan.

11

Por haber sido la cultura mesoamericana más antigua y haber estado localizada en una región muy húmeda son escasos los vestigios materiales que quedan de los olmecas y, en consecuencia, también es poco lo que se sabe de ellos. Se desconoce completamente su lenguaje; es más, la palabra *olmeca* es de origen náhuatl y significa "habitante del país del hule". Debido a la humedad, tampoco se han conservado restos humanos que permitan saber con seguridad cómo eran físicamente. Por representaciones artísticas del tipo de las cabezas monumentales, se cree que eran de baja estatura, complexión robusta, cara redonda con mejillas abultadas, nariz achatada y labios gruesos.

Se supone que no existió una unidad política entre ellos, pues el sistema de ciudades-estado fue el que preponderó. Cada una de estas urbes se constituía como un centro político, religioso y económico autónomo de los demás, aunque se cree que mantenían un estrecho contacto entre sí. Los centros urbanos más importantes eran: La Venta, Tres Zapotes y San Lorenzo.

En cada ciudad-estado existía una división social marcada. Los sacerdotes se habían constituido en el grupo dirigente por los conocimientos religiosos, técnicos, matemáticos, agrícolas y de escritura que poseían. También se cree que los guerreros formaban parte del grupo dirigente, puesto que sus servicios en la protección de las ciudades y de la actividad comercial, tan importante en el mundo olmeca, eran de gran valía. El resto de la sociedad la componían los artesanos y los agricultores cuya finalidad era la de sostener al grupo dirigente y a la población en su totalidad.

La agricultura fue el pilar de su economía. Por medio de los sistemas de quema y roza, (tirar una parte de la vegetación aprovechando la tierra para sembrar), producían, calabaza, chile, frijol y maíz en cantidades tan generosas que comenzaron a aprovechar los excedentes para iniciar sus actividades comerciales con culturas diferentes. El comercio olmeca evolucionó pues pasó del intercambio de alimentos por materias primas inexistentes en "la región del hule" (por ejemplo la piedra) a adquirir la materia prima, procesarla y comercializar el producto final. Respecto a quienes se dedicaban a esta actividad hay dos hipótesis. La primera sostiene que los guerreros y los sacerdotes lo hacían y, la segunda, propone la existencia de un grupo especializado en el comercio.

Por medio de figuras zoomorfas, antropomorfas y mixtas, los olmecas representaban a sus divinidades. Sus dioses estaban asociados a las fuerzas de la naturaleza, siendo el jaguar el más importante por la fuerte carga simbólica que poseía. Se le relacionaba con la muerte, con el agua, con la agricultura, es decir, con la vida.

También es un misterio la desaparición de los olmecas. Hacia el año 100 a.c. se desvanecieron y nunca más se supo de ellos. Se cree que lo que sucedió es que se dispersaron por la selva y que terminaron integrándose a otros grupos, aunque se ignoran los motivos que los pudieron llevar a ello.

La cultura teotihuacana

Uno de los centros políticos, religiosos y comerciales que florecieron en el horizonte cultural clásico fue Teotihuacán. Este centro urbano, cuyo nombre náhuatl significa "el lugar donde habitan los dioses", se encontraba al este del lago de Texcoco y fue fundado hacia el año 300 a. C. por pobladores que provenían del valle de México; sin embargo, fue en el siglo VII d. C. cuando la ciudad alcanzó su esplendor pues, en poco más de 20 kilómetros cuadrados, logró congregar a 100,000 habitantes y su influencia se extendía por los estados actuales de Hidalgo, México, Morelos, Puebla y Veracruz.

Teotihuacán fue la primera ciudad mesoamericana que contó con un gobierno teocrático-militar en el que los sacerdotes también ejercían funciones militares. Este grupo tomaba las decisiones y controlaba todo lo relacionado con el comercio, tal era su importancia que las habitaciones que ocupaban se encontraban en el centro de la ciudad, lo que corresponde actualmente a la zona arqueológica. El resto de la sociedad estaba conformada principalmente por artesanos (casi no existían los agricultores) cuyo número ascendía constantemente por las necesidades comerciales de la urbe; debido a la exigencia de este tipo de mano de obra inmigrantes de otras zonas, básicamente de Oaxaca, se establecieron en Teotihuacán y crearon sus propios barrios.

Disco de Chinkultic,
Chiapas. Representa a
un jugador de pelota.

La actividad económica primordial, por no decir que única, era el comercio. A través del trueque intercambiaban cuchillos, máscaras, puntas de lanza, navajas —realizados en jade y obsidiana—, por alimentos, piedra y productos suntuarios como pectorales, pulseras, collares, ámbar y otros objetos sofisticados. Esta actividad comercial fue tan vigorosa que los productos teotihuacanos llegaron a regiones tan distantes como la habitada por los mayas.

La religión fue uno de los mayores aportes que legó Teotihuacán a Mesoamérica. Muchos de los dioses que surgieron en esta cultura siguieron siendo adorados hasta el momento de la conquista española. Las divinidades comenzaron a ser representadas con cuerpos humanos y las que más veneración recibían eran: Huehetéotl, el dios del fuego y la vejez; el famoso Tláloc, el dios del agua; Yacatecuhtli, el dios del comercio, y Mictlantecuhtli, el dios de la muerte. Las ceremonias religiosas importantes se llevaban a cabo en los templos del centro de la ciudad y los rituales que ahí se practicaban iban desde el canto de himnos hasta la celebración de sacrificios humanos.

Entre los siglos IV y V se inició la decadencia de Teotihuacán. Son muchos los factores que permiten explicar este fenómeno. El crecimiento de la ciudad fue tal que deterioró el ambiente y cambió el clima; lo que anteriormente había sido una zona boscosa y fértil se había transformado en un desierto. Los signos de destrucción que aparecen en las ruinas actuales han hecho pensar que la ciudad padeció brotes de violencia que pudieron ser originados por varias razones: conflictos entre las diversas etnias que habitaban la urbe, luchas entre el pueblo y el grupo gobernante que por siglos lo había explotado, o bien, las invasiones de grupos chichimecas (nómadas provenientes del norte del país) que al entrar a la ciudad la incendiaron. El proceso de decadencia de esta cultura fue tan rápido y cruento que, para el siglo IX, se había convertido en un pueblo fantasma. Así lo conocieron los mexicas cuando se asentaron en el Valle de México.

La cultura maya

Los mayas, grupos que hablan diferentes lenguas pero que pertenecían a un grupo lingüístico común, abarcaron un vasto territorio que comprendía los actuales estados de Campeche, Chiapas, Quintana Roo, Tabasco y Yucatán, además de Belice, El Salvador, Guatemala y Honduras. En esta zona, durante el periodo Clásico, surgieron centros políticos, religiosos y sociales importantes como Bonampak, Copán y Palenque.

Los mayas, al igual que los olmecas, conformaron centros urbanos autónomos que poseían un gobernante encargado de tomar las decisiones importantes de carácter administrativo, militar, religioso y jurídico. Aunque tenía el poder absoluto, este gobernante se hacía acompañar de un consejo de ancianos que le auxiliaba en la administración del Estado y el cobro de impuestos; a su vez, este consejo descasaba en otros individuos para poder realizar su función cabalmente, y fue de esta forma como los mayas lograron crear una burocracia bien estructurada y funcional.

La sociedad maya estaba organizada bajo un sistema complejo. Cada ciudad contaba con un grupo dirigente de nobles que cumplían con funciones directivas, intelectuales y militares, aunque el cobro de impuestos a la población era una de sus más importantes funciones. Cuando moría el gobernante de un centro urbano se producía la sucesión dinástica, aunque también ocasionalmente se escogía al sucesor. Por debajo estaban los comerciantes que, aunque eran parte de las clases sociales inferiores, vivían cómoda y lujosamente, pues sus servicios eran muy bien compensados por la élite gobernante a la que proveían abundantemente de productos suntuarios. En las posiciones más bajas se encontraban los artesanos y los agricultores quienes estaban obligados a pagar tributos para ser libres, tener derechos y ser protegidos por el grupo en el poder. Aunque en el mundo maya todos nacían libres, existía la esclavitud. Tres eran las razones por las que una persona podría convertirse en esclavo: por castigo, por la guerra y por propia voluntad para pagar una deuda personal.

Los mayas utilizaban los sistemas de roza y quema y de temporal, aprovechando la época de lluvia, para cultivar maíz, frijol, calabaza, jícama, yuca, camote y cacao, este último se utilizaba en su totalidad para comerciar. Con el paso del tiempo, el comercio se convirtió en la actividad económica principal. En mercados locales o con el envío de comerciantes al Altiplano Central y Centroamérica, los mayas crearon una amplia red que les permitía intercambiar entre ellos y con otros pueblos cacao, jade, sal, pescados, piedras, ámbar, madera, plumas de quetzal y pieles de venado y de jaguar.

Esta cultura fue la que mayor interés mostró por las ciencias y la escritura. Aunque en las matemáticas heredaron el sistema numérico vigesimal de los olmecas lo perfeccionaron al descubrir el cero. En la astronomía descubrieron el calendario de 365 días, el concepto del año bisiesto, el movimiento de traslación de Venus y también podían predecir cuándo sucederían fenómenos naturales tales como los eclipses. La medición y registro del tiempo eran actividades que fascinaban a los mayas, quienes no conformes con tener dos calendarios (el solar de 365 días y el lunar de 260), crearon varias unidades de registro del tiempo que iban desde el *kin* (un día) hasta el *alautún* (64 millones de años).

En las artes los mayas destacaron notablemente. Sus imponentes edificios rematados por bellas cresterías, sus esculturas, cerámicas y pinturas son un ejemplo de ello.

El panteón maya comprendía una serie de dioses a los que se les relacionaba con las fuerzas de la naturaleza, con la vida diaria y con conceptos tan abstractos como los números y los meses. La curiosidad religiosa de esta cultura les llevó a preguntarse sobre su origen y llegaron a la conclusión de que antes que ellos habían existido otros hombres que, por sus carencias religiosas y físicas, habían sido aniquilados por los dioses. Las divinidades más veneradas eran: Itzamná, dios supremo; Kukulkán, dios del viento;

Yum Kaax, dios del maíz; Chaac, dios del agua; Yum Kimil, dios de la muerte, y Kinich Ahau, dios del sol y del tiempo, entre otros.

Entre inicios y mediados del siglo x los grandes centros mayas comenzaron a ser abandonados por sus pobladores. Se cree que esta situación fue consecuencia del agotamiento de la tierra, el crecimiento demográfico, las guerras civiles, los desastres naturales y las invasiones de otros grupos.

La cultura tolteca

La caída de Teotihuacán aunada a la decadencia de la cultura maya, son procesos que marcaron la transición al periodo Postclásico. En él, Mesoamérica sufrió una sucesión de invasiones chichimecas que generaron una serie de cambios en la región.

Uno de los primeros grupos chichimecas que se estableció en Mesoamérica fue el de los toltecas. Destacados "alumnos" de los teotihuacanos, los toltecas fundaron en 856 la ciudad de Tollán (Tula) que se convertiría, con el transcurso de los años, en la capital de un vasto imperio. Fue en la región del Altiplano Central donde los toltecas ejercieron por primera vez su hegemonía, pero no conformes con ello, utilizaron las armas para ampliar su zona de influencia, llegando incluso a controlar regiones tan distantes como Guerrero, Oaxaca y Yucatán.

De entre todos los gobernantes toltecas hubo uno que destacó más por su espíritu "civilizador" y no tanto por el amor a las armas. Topiltzin deseó que Tollán se convirtiera en un centro cultural y, para poder realizar este sueño, promovió el arribo de artesanos y arquitectos provenientes del valle de México. Este cambio también tuvo una repercusión religiosa importante, pues el rey dio un gran impulso al culto de Quetzalcóatl (serpiente emplumada), una divinidad pacífica y ligada estrechamente a la cultura, en detrimento de Tezcatlipoca (espejo humeante), el dios de la guerra. Posiblemente este cambio religioso fue tan radical que la mayoría de los toltecas se levantaron en armas y depusieron a Topiltzin.

El gobierno tolteca estaba en manos de un grupo de sacerdotes guerreros que ejercía un férreo control sobre el resto de la población, aunque –a diferencia de las culturas anteriores– este grupo no estaba afianzado y sus miembros entablaban constantes peleas, las que culminaron en una guerra civil. Se cree que los agricultores y comerciantes, pilares de la sociedad y de la economía tolteca, no participaban en la política ni, consecuentemente, en la toma de decisiones.

El comercio y la agricultura eran las actividades económicas más destacadas en el mundo tolteca. Aunque habían aprendido de los teotihuacanos a sembrar, se piensa que los toltecas preferían obtener los alimentos de los pueblos que estaban obligados a tributarles. A su vez, el comercio era un quehacer apreciado por este pueblo, siendo la cerámica y la obsidiana los productos más comercializados.

De la religión tolteca poco se sabe. Fueron los primeros en tener divinidades relacionadas con la guerra, como es el caso de Tezcatlipoca, dios de la noche y de la guerra. Otras deidades importantes eran: Tláloc, dios del agua; Quetzalcóatl, dios del amanecer y de la sabiduría; Tlazoltéotl, diosa de la fertilidad, y Centeocíhuatl, diosa del maíz.

En el siglo XII se inició la decadencia de Tollán como consecuencia de las invasiones de otros grupos chichimecas, guerras civiles y levantamientos de los pueblos tributarios. La mayoría de los habitantes de la urbe tolteca la abandonaron para refugiarse en el valle de México, en los alrededores de la región lacustre, donde otros pueblos chichimecas se habían establecido dos siglos atrás.

La cultura mexica o azteca

Uno de los grupos chichimecas de origen náhuatl que había participado en la caída de Tollán fue el de los mexicas o aztecas. Originarios de una ciudad mítica que ellos llamaban Aztlán –supuestamente localizada en Nayarit–, los mexicas comenzaron a migrar en el año 1111 rumbo al Altiplano Central en búsqueda de mejores condiciones de vida. Cuando llegaron al valle de México, los estados ahí establecidos (Azcapotzalco, Culhuacán y Xochimilco, por citar algunos) se encontraban en pleno proceso de expansión y de guerra. Tras servir como mercenarios de los tepanecas y de los colhuas, el rey de Azcapotzalco les cedió en 1345 un pequeño islote en el centro del lago de Texcoco para que ahí se establecieran. Acto seguido, los mexicas fundaron México-Tenochtitlán, una ciudad sencilla que contaba con cierta preeminencia como era la de tener diversos ecosistemas y agua todo el tiempo. No obstante su sedentarización y el goce de estas ventajas, los mexicas no podían ocultar, ni controlar, su espíritu bélico y comenzaron a poner en práctica una política de expansión que les llevó en una primera instancia a conquistar a sus vecinos y, posteriormente, el actual valle de México y a extender su hegemonía a Guerrero, Hidalgo, Morelos, Tlaxcala, Oaxaca, Puebla, Veracruz y Chiapas.

Cuando los mexicas se convirtieron en una potencia hegemónica decidieron cambiar su historia y comenzaron a afirmar que el motivo de su peregrinación originaria era una orden que el dios Huitzilopochtli les había dado; esta misma divinidad, relacionada con la guerra, indicó a los sacerdotes mexicas que el éxodo terminaría cuando llegaran a un lugar donde un águila estuviera encima de una nopalera comiendo una serpiente. Resultó que dicho lugar, según la leyenda, era México-Tenochtitlán.

El sistema político con el que se regían era riguroso y estaba perfectamente ordenado. A la cabeza se encontraba el emperador (*tlatoani*), que era la máxima autoridad en lo que se refería a la religión, la guerra y la política. Cuando el emperador moría, los nobles mexicas se reunían para escoger, de entre ellos, a su sucesor. Por debajo estaba el consejero (*cihuacóatl*), quien cumplía con varias funciones que iban desde sustituir al emperador cuando éste no se encontraba, hasta encargarse de la recolección y almacenamiento del tributo. Seguían el Consejo de Estado o *Tlatocan* que, además de asesorar al emperador cuando lo solicitaba, se encargaba de las cuestiones administrativas y judiciales ordinarias.

Los mexicas tenían una rígida educación para los hombres jóvenes de noble cuna. Se les enviaba a una escuela llamada *calmecac* donde aprendían las leyes del honor, a guerrear y a tener disciplina para enfrentar el dolor.

La sociedad se encontraba dividida en dos estamentos. Los *pipiltzin* eran los miembros de la nobleza, tenían los puestos políticos, militares y religiosos, no pagaban impuestos y se les prohibía hacer cualquier tipo de trabajo relacionado con la tierra. El resto de la sociedad, los *macehualtin*,

El noveno señor mexica.
Moctezuma Xocoyotzin.

estaban encargados de mantener vivo al sistema productivo; sin importar que fueran comerciantes, artesanos, agricultores, cargadores, soldados, esclavos… todos debían pagar impuestos si querían gozar de derechos políticos tan limitados que sólo los podían ejercer a nivel de los barrios de la ciudad (*calpullis*).

Su economía sufrió cambios a lo largo del tiempo. En principio la agricultura era su eje. Por medio de las chinampas –como las que se pueden encontrar en Xochimilco–, de la rotación de cultivos y el sistema de terrazas, los campesinos sembraban frijol, maíz, chile y calabaza en cantidades tan vastas que los mexicas solían disponer de excedentes. Conforme la guerra se fue convirtiendo en un modelo de vida, los mexicas encontraron que otra forma de enriquecer su economía era el cobro de tributos, por demás excesivos, a los pueblos que conquistaban.

El monto del tributo a pagar variaba dependiendo de la riqueza de la región sometida. El comercio fue otra actividad económica trascendental en el mundo mexica. En los mercados (tianguis) el intercambio entre productor y consumidor era directo y era un medio pensado para que los habitantes de las ciudades pudieran disponer de diversos productos. Existía el comercio a distancia, en el que los mercaderes (*pochtecas*) caminaban o navegaban miles de kilómetros para obtener aquellos productos que eran del agrado de los *pipiltzin*.

Los principales y terribles dioses mexicas eran Huitzilopochtli, dios guerrero por excelencia, y Coatlicue, diosa de la fertilidad y madre de Huitzilopochtli, además de Tláloc, Xochipilli, Ehécatl, Xipe Totec y otros que conformaban el panteón mexica. Los sacrificios humanos eran una constante que se fundamentaba en la creencia de que la sangre era el alimento que necesitaba el sol para salir todos los días, por ello guerreaban con los pueblos vecinos para obtener cautivos dedicados al sacrificio.

Once fueron los monarcas: Acamapichtli, Huitzilíhuitl, Chimalpopoca, Izcóatl, Moctezuma Ilhuicamina, Axayácatl, Tizoc, Ahuízotl, Moctezuma Xocoyotzin. Cuitláhuac y Cuauhtémoc. Los dos últimos lucharon contra los españoles por la libertad de su pueblo.

Los mexicas lograron levantar el imperio más poderoso en la historia de Mesoamérica y, sin embargo, su existencia fue efímera si se la compara con las otras grandes culturas de la región. No fueron ni los levantamientos ni las guerras étnicas las que generaron esta situación, tampoco tuvieron que ver el agotamiento de los recursos naturales o las tradicionales invasiones chichimecas. Por el contrario, se trató de la repentina irrupción de una nueva fuerza diferente a todas las existentes en Mesoamérica, una nueva fuerza en la que los motivos religiosos y económicos servían de motor y que estaba dispuesta a acabar con todo lo que fuera diferente a ella. Se trataba, pues, de España.

Capítulo 2

Conquista de México y época virreinal (1519-1808)

La Conquista (1519 - 1521)

Fue gracias a los cuatro viajes que Colón realizó entre 1492 y 1502, que se abrieron las puertas de América a los españoles. En la creencia de que las nuevas tierras eran un premio que Dios les había dado por haber expulsado a los árabes de su territorio, cientos de soldados y clérigos españoles emigraron rumbo a América con la ilusión de convertirse en propietarios de grandes tierras e increíbles tesoros.

Los primeros establecimientos españoles en el continente se desarrollaron en la región del Caribe, pero el agotamiento de los recursos naturales y humanos, así como la constante llegada de emigrantes, fueron factores que orillaron a los españoles a buscar nuevos territorios y riquezas al noroeste del continente americano.

El gobernador de la isla de Cuba, Diego Velázquez, era un hombre ambicioso que sabía que en la medida en que fuera promotor de la búsqueda y conquista de nuevos territorios, su fama y riqueza se verían incrementadas considerablemente. En 1517 organizó la primera expedición española al actual México y puso al mando de la misma a Francisco Hernández de Córdoba, un experimentado militar que había colaborado con Velázquez en la conquista de Cuba. Las cosas marcharon bien para los expedicionarios en los primeros días del viaje pero cuando llegaron a las costas de Yucatán e intentaron establecer contacto con los indígenas éstos mostraron una actitud belicosa y mataron, en combate, a algunos españoles. Hernández de Córdoba no se dio por vencido y ordenó seguir bordeando la costa hasta llegar a lo que hoy en día es Campeche; sin embargo, la situación empeoró pues cuando los naturales vieron desembarcar a los españoles, los atacaron ferozmente. Muchos murieron y otros, entre los que se encontraba el capitán de la misión, quedaron heridos de gravedad. Después de este revés la expedición inició el penoso regreso rumbo a Cuba en un viaje que culminó en 1518.

Aunque la partida no había sido económicamente rentable, tampoco fue un fracaso rotundo, pues quienes participaron en ella aseguraron que se habían topado con pueblos con un mayor desarrollo cultural respecto a los existentes en el Caribe. La ambición de Velázquez se vio incrementada por considerar que a un mayor desarrollo correspondía una mayor acumulación de riquezas; por ello, organizó en el mismo año de 1518 una segunda expedición encabezada por Juan de Grijalva, otro veterano de la conquista de Cuba.

A pesar de los informes que había recibido, Grijalva siguió los pasos de la primera expedición y aunque también tuvo enfrentamientos con los mayas de la costa, tuvo muy pocas bajas. Al pasar por Campeche decidió seguir viajando rumbo al noroeste hasta que llegó a Tabasco. Ahí decidió avanzar tierra adentro siguiendo la gran desembocadura de un río. Los indígenas de la región eran más amigables que los mayas de la costa y, gracias a ellos, los españoles pudieron desembarcar varias veces e intercambiar cuentas de vidrio por metales preciosos.

Cuando la segunda expedición llegó a Cuba, Juan de Grijalva llevaba un botín equivalente a 20,000 pesos y, lo que era más importante, las noticias sobre la existencia de un imperio –tierra adentro– inmensamente rico. El comentario bastó para que el gobernador de la isla comenzara a organizar una nueva expedición.

A inicios de 1519, Diego Velázquez ya tenía lista la tercera, que iba a estar al mando de Hernán Cortés, un capitán nacido en Extremadura en 1485, de 33 años de edad, con quince de experiencia militar en América. A pesar de la amistad que les unía, Cortés no compartía la ambición desmedida del gobernador de la isla, quien llegó a pedirle al extremeño que conquistara los territorios indígenas, despojara a sus habitantes de todo el oro que tuvieran y que no poblara las nuevas tierras con españoles, siendo esta última petición contraria a los deseos y órdenes de la Corona española.

El conquistador
Hernán Cortés.

Con el transcurso de los días, Cortés no pudo seguir simulando. En cuanta ocasión le era propicia, Velázquez hacía ver al extremeño que, aunque fuera capitán de la expedición, era un subalterno. Cortés comenzó a quejarse de la humillación constante que padecía y sus enemigos en la isla, que no debían de ser pocos, aprovecharon el desliz para convencer al gobernador de que le quitara el mando de la misma; Cortés, al enterarse de este movimiento no perdió tiempo y anticipó el inicio de la empresa. El 18 de febrero de 1519, y sin permiso de Diego de Velázquez, Hernán Cortés dio inicio, sin que lo supiera, al proceso que culminaría con la conquista de México-Tenochtitlán.

Tres días después de haber zarpado de Cuba, los españoles llegaron a la isla de Cozumel (Yucatán) en donde supieron que fray Jerónimo de Aguilar y Gonzalo Guerrero, náufragos españoles desde 1511, se habían integrado a la comunidad maya de la localidad. Cortés los invitó a que se unieran a su empresa, pero Guerrero no aceptó pues se había casado con una mujer maya y tenía varios hijos con ella. Por el contrario, Aguilar, que estaba en calidad de esclavo, se unió a la expedición y puso sus conocimientos de la lengua maya al servicio de los españoles.

Cortés y sus hombres siguieron las rutas trazadas por Hernández de Córdoba y Grijalva. Cuando llegaron a Tabasco, tuvieron algunos enfrentamientos con los caciques mayas que ahí vivían, pero éstos, al ser derrotados –gracias a los caballos, armaduras y armas de fuego– optaron por pactar con los invasores, a quienes agasajaron con alimentos, oro, mantas de algodón y jóvenes doncellas. Entre estas mujeres se encontraba una que se llamaba Malinalli, a la que también se le conoce como Malintzin, Malinche y Marina, quien tuvo un papel fundamental en la conquista debido a sus conocimientos de la lengua maya y náhuatl. De esta forma, cuando Cortés quería preguntar a los indígenas algo, Aguilar hacía la traducción al maya y Malinalli del maya al náhuatl y posteriormente al español, que aprendió rápidamente.

El primer contacto entre los mexicas y los españoles se dio a los pocos días, después de que los segundos habían fundado la población de Santa María de la Victoria. La comitiva enviada por Moctezuma II, el noveno soberano mexica, quedó impresionada cuando Cortés y sus soldados desplegaron toda una escena "teatral" en la que sus caballos corrían de un lado a otro mientras que los europeos disparaban al unísono sus rifles y cañones. Los enviados se asombraron y confirmaron la procedencia divina de los extranjeros –a los que bautizaron como teules o dioses–, cuyo arribo coincidía con la facha mítica de retorno profetizada por el dios Quetzalcóatl, por ello la embajada de Moctezuma, que se encontraba en esos momentos llena de supersticiones, puso a los pies de Cortés cuantiosos regalos (oro, joyas, ropa de algodón) con la esperanza de que quedaran saciadas sus ambiciones y dieran marcha atrás. El efecto fue contrario. Cortés interpretó que ello era una pequeña muestra de las riquezas que existían en esas tierras y, ahora con mayor ahínco, quiso penetrar tierra adentro para llegar a la capital del Imperio mexica.

Antes de continuar con su expedición, Cortés tuvo que arreglar un problema personal. Consciente de que había violado la ley al fugarse de Cuba sin el permiso de su gobernador, de quien dependía directamente, decidió darles legalidad a sus actos para evitar que Velázquez pudiera actuar en su contra. Junto a sus hombres Cortés fundó la Villa Rica de la Vera Cruz y, frente al ayuntamiento de dicha villa, renunció al poder que le había otorgado el gobernador de Cuba y asumió el nombramiento de Capitán General y de Justicia Mayor, con lo cual pasaba a depender directamente del rey de España, Carlos I. Aquí Hernán Cortéz se encontró con otra delicada situación. Parte de sus hombres deseaban regresar a Cuba y no seguir tierra adentro. Ante esto, ordenó inutilizar los navíos para obligar a todos a seguir adelante.

En su camino rumbo a México -Tenochtitlán, los españoles presenciaron los abusos que los tributarios de los mexicas sufrían. Cuando llegaron a Cempoala, el cacique del lugar –conocido como "el gordo" por su sobrepeso– les brindó hombres, provisiones y datos sobre la región a cambio de protección militar. Esta alianza puso de manifiesto a Cortés que muchos pueblos odiaban a los mexicas, situación que podía serle favorable si llevaba a cabo, a lo largo de su camino, alianzas con los disconformes.

La política de alianzas brindó sus frutos pues, mientras los españoles pasaron por Puebla, los grupos indígenas se les unieron en la creencia de que eran dioses. Sin embargo, esta circunstancia se transformó cuando llegaron a Tlaxcala. Se trataba de un estado que había logrado mantenerse independiente de los mexicas, quienes en venganza les habían impuesto un bloqueo comercial de algodón, cacao y sal, además de combatirlos a fin de obtener prisioneros para sacrificarlos. Estas guerras eran conocidas como las "Guerras Floridas". Cortés, envió emisarios para pactar una alianza con ellos, pero Xicoténcatl, uno de los dirigentes tlaxcaltecas más notables, desconfió de los españoles y preparó la guerra contra ellos. Después de sufrir varias derrotas, los tlaxcaltecas reconocieron la superioridad de las tropas españolas y también vieron en ellas un medio para acabar con el dominio mexica. Cuando los españoles se encontraban descansando en Tlaxcala, otra comitiva de Moctezuma II llegó con regalos y un mensaje del emperador en el que invitaba a Cortés a desistir de su idea de llegar a la capital del Imperio. Esta invitación tampoco funcionó.

Los españoles, fortalecidos con la incorporación de efectivos tlaxcaltecas, se dirigieron a Cholula, un estado autónomo que mantenía buenas relaciones con los mexicas. Cuando llegaron ahí, los cholultecas dieron, por órdenes de Moctezuma, una buena acogida a los españoles, hecho que generó suspicacias entre los europeos y que fue utilizado por los tlaxcaltecas para hacerles creer que se trataba de una conspiración. Cortés averiguó si existía tal confabulación y, comprobada ésta, dio la orden de que se realizara una brutal represión donde murieron sacerdotes, guerreros y gran parte de la población. Se estima que fueron entre 4,000 y 5,000 las víctimas de este acontecimiento que se conoció como la "matanza de Cholula".

Después de lo sucedido en Cholula, los tlaxcaltecas guiaron a los españoles al valle de México a través de los volcanes Iztaccíhuatl y Popocatépetl, por lo que hoy se conoce como "el paso de Cortés", en donde quedaron impresionados al ver desde ahí la magnificencia de Tenochtitlán. En el camino, los caciques de los pobladores ofrecían su amistad a los españoles quienes después de haber pasado por Amecameca, Chalco e Iztapalapa lograron llegar a México-Tenochtitlán. Era el 8 de noviembre de 1519.

Cortés y Moctezuma se encontraron por primera vez en la acequia de Xólotl, en un punto localizado en la actual calle de Pino Suárez, cerca del posteriormente construido Hospital de Jesús. Cortés quedó impresionado por la cantidad de gente que se congregó y también por el tamaño y lujo de la corte del emperador mexica. Por su parte, Moctezuma II quedó asombrado por el color de los extranjeros y por los animales tan extraños que les acompañaban. El ambiente en estos primeros días era cordial; los españoles fueron hospedados en el palacio de Axayácatl; todos los días eran paseados por la ciudad mientras que Cortés y Moctezuma pasaban las noches platicando sobre la historia, religión y costumbres de sus pueblos. Sin embargo, la relación entre ambos comenzó a enfriarse a raíz de los hechos. Llegaron noticias de que el cacique de Nautla había matado a varios españoles; en respuesta, Cortés obligó a Moctezuma, quien no estaba de acuerdo con ello aunque de él partieron las órdenes, a que castigara a sus vasallos con la muerte. En otra ocasión, Cortés entró al Templo Mayor y comenzó a destruir las estatuas de las divinidades por considerarlas contrarias a la religión católica. Pero esta situación culminó cuando el propio Cortés aprisionó a Moctezuma en un intento por evitar un posible levantamiento de los mexicas.

En tanto que esto sucedía en la capital del Imperio mexica, tropas enviadas por Diego Velázquez, y capitaneadas por Pánfilo Narváez, desembarcaron en Veracruz con orden de atrapar a Cortés y sus capitanes para regresarlos a Cuba. Cuando Cortés se enteró de ello, dejó al mando de Tenochtitlán a Pedro de Alvarado y salió, con varios hombres rumbo a Veracruz para enfrentarse a Narváez. Fue en Cempoala donde se dio el choque entre los dos ejércitos españoles, siendo el de Cortés el que se impuso. Narváez fue aprehendido y enviado posteriormente a Cuba, mientras que sus armas y soldados quedaron en manos del vencedor.

Por su parte, Pedro de Alvarado empeoró la situación de los españoles en México-Tenochtitlán pues, después de que autorizó a los mexicas a llevar a cabo una celebración religiosa en el Templo Mayor, hizo acto de presencia en el lugar e inició un terrible ataque que pasó a la historia como la "matanza del Templo Mayor". La ira cundió entre los indígenas, se armaron y salieron a las calles para pelear contra los españoles y tlaxcaltecas, quienes tuvieron que refugiarse en el palacio de Axayácatl y comenzaron a padecer los estragos de un sitio cruento. Es por ello que cuando Cortés llegó a Tenochtitlán vio las calles vacías y los pocos mexicas con que se encontró mostraron una actitud hostil hacia él. Al penetrar en el palacio, el conquistador fue puesto al tanto de los hechos que había generado la rebelión y, tras meditarlo, decidió que una solución al problema era obligar a Moctezuma a que calmara a sus vasallos. El emperador salió a un balcón para enfrentarse a una turba furiosa que, al verlo, comenzó a reclamarle y a lanzarle piedras; según la leyenda, una de éstas le pegó en la cabeza y le causó la muerte aunque se opina también que fue asesinado por el mismo Cortés. Los nobles mexicas no perdieron el tiempo, se reunieron y escogieron como nuevo emperador a Cuitláhuac, joven guerrero que ordenó el fortalecimiento del cerco. Frente a este fracaso, los españoles comprendieron que la única opción que les quedaba era intentar romper el sitio y salir de la ciudad. En la madrugada del 1 de julio de 1520, los españoles –que ya habían repartido el oro encontrado en el palacio de Axayácat– y los tlaxcaltecas dejaron el lugar con todo sigilo. Cuando avanzaban por la calzada de Tacuba, los mexicas se percataron del escape e iniciaron la persecución. Cientos de españoles, tlaxcaltecas, cañones y caballos se agolpaban al mismo tiempo en la estrecha calzada donde ya los mexicas habían cortado los pasos; por ello, fueron muchos los soldados y caballos que perecieron ahogados, mientras que casi la totalidad de la artillería y el tesoro quedaron en el fondo del lago de Texcoco. Los sobrevivientes pudieron descansar al llegar a Popotla, lugar donde se dice que Cortés se apoyó en un árbol para llorar amargamente

Cuauhtémoc, último
señor mexica.

por la derrota que había sufrido esa noche, conocida a partir de entonces como "la noche triste". Los españoles no se quedaron ahí y siguieron su camino hacia Tlaxcala para recuperarse y organizar un contraataque, pero en Otumba fueron atacados nuevamente por el ejército mexica. Cortés pudo derrotar a los guerreros aztecas, que abandonaron la lucha al ver a su jefe muerto.

Estando en Tlaxcala, Cortés comenzó a planear una nueva campaña contra los mexicas basada en la idea de conquistar todos los territorios ubicados entre este señorío y México-Tenochtitlán, en una especie de cerco que iría cerrando conforme los conquistadores se fueran acercando a su objetivo. Mientras tanto, en la capital mexica, se había desatado una epidemia de viruela, enfermedad probablemente llevada por uno de los soldados de Narváez. Por tratarse de un mal jamás visto en el mundo prehispánico los indígenas fueron victimados en grandes cantidades, siendo la víctima más importante el joven Cuitláhuac que, tras haber perecido, fue sustituido en el cargo de emperador por el noble Cuauhtémoc.

Desde finales de 1520, los españoles recurrieron a las armas y las alianzas para llegar nuevamente al valle de México. Ahí Cortés comenzó a poner un cerco tenaz contra la capital mexica que, para muchos, no era más que su venganza por la humillación recibida en la "noche triste". Gracias al apoyo de los reinos colindantes con Tenochtitlán, los españoles bloquearon las salidas de las calzadas y utilizaron bergantines (navíos de pequeño tamaño equipados con cañones) que habían construido en Texcoco para cercar la capital mexica por el lago. A partir de este momento ni una sola persona podía entrar o salir de la ciudad sin el consentimiento de los españoles. No conforme con lo anterior, Cortés dio la orden de que se rompiera un tramo del acueducto de Chapultepec para privar a la población de agua potable (la del lago era salobre). A pesar de estas adversidades los mexicas aguantaron estoicamente el sitio de su ciudad, y cuando los españoles y sus miles de aliados tlaxcaltecas comenzaron a invadirla el 26 de mayo de 1521, la defendieron ferozmente. La lucha entre ambos bandos fue despiadada, según lo comentaron los relatos europeos e indígenas, pues en cada calle se podía ver cómo grupos de soldados mexicas, de españoles y de tlaxcaltecas combatían y cuando los segundos triunfaban no podían avanzar mucho, pues un nuevo contingente indígena les hacía frente. La lucha culminó cuando los españoles por fin pudieron aprehender a Cuauhtémoc quien, al verse privado de su libertad, según cuenta la leyenda, pidió a Cortés que le diera una puñalada pues había hecho todo lo posible por defender a su gente. El español hizo caso omiso de sus palabras y, por el momento, le perdonó la vida. El sitio de Tenochtitlán terminó el 13 de agosto de 1521.

Son varios los especialistas que afirman que la conquista de México-Tenochtitlán fue la más sangrienta y devastadora de todas las realizadas por los españoles en América. De la otrora majestuosa y orgullosa capital indígena sólo quedaban piedras amontonadas y maderos quemados; de los mexicas, ese pueblo altivo, cadáveres y rostros fantasmales, y sobre las ruinas de la gran Tenochtitlán, se empezó a levantar la que sería capital del Virreinato de la Nueva España.

Primeros gobiernos (1521 - 1535)

Terminada la conquista, Cortés tuvo que hacer frente a los problemas que de ella habían derivado. El primero era la cuestión del gobierno, tarea sencilla en el papel, pero extremadamente espinosa en la práctica. Desde la fundación del Ayuntamiento de la Villa Rica de la Vera Cruz, el conquistador ostentaba las funciones de capitán general y gobernador de Nueva España, funciones que le fueron ratificadas por la Corona en 1522. Aunque Cortés tenía todo el poder en el territorio, escogió a gente de su confianza, como era costumbre, para ostentar los cargos políticos y judiciales más delicados, con lo cual se ganó la animadversión del resto de los conquistadores. Cuando consideró que había establecido las bases de gobierno novohispano, el extremeño no perdió el tiempo y se lanzó a nuevas empresas militares pues, como él mismo lo decía, era más "un hombre de hacer que de pacer". Decidió llevar a cabo una expedición a las Hibueras (hoy en día Honduras) en 1524, expedición que resultó un desastre y durante la cual ahorcó a Cuauhtémoc, el último emperador mexica. Su marcha estalló un conflicto entre sus amigos y detractores, quedándose con el poder los segundos. Éstos llevaron a cabo una política de persecución contra los primeros. Dos hechos producto de lo anterior fueron el regreso de Cortés a la capital novohispana en 1526 y el envío por parte de la Corona de un juez que enjuiciara a Cortés y se quedara con el mando de estas tierras. El juez, Alonso de Estrada, gobernó hasta 1529, año en el que fue removido pues terminó por tomar partido en los conflictos internos.

Frente a esta situación, el rey Carlos I creyó conveniente, en 1528, dar el gobierno de Nueva España a una Audiencia en la que su presidente y sus cuatro oidores tuvieran poder absoluto. Este intento fracasó pues quien quedó al mando de este organismo fue Beltrán Nuño de Guzmán, un aventurero corrupto y despiadado que no perdió el tiempo para coludirse con sus compañeros y cometer una serie de tropelías contra los indígenas (incremento desmedido de los tributos) y los españoles (se les arrebataron sus encomiendas a los seguidores de Cortés). Esta conducta fue tan escandalosa que el obispo de México, fray Juan de Zumárraga, envió reportes al rey sobre lo que sucedía en Nueva España. Carlos I suprimió a esta Audiencia y la sustituyó por una segunda, en 1530. Para evitar los abusos nombró como presidente y oidores a gente de comprobada calidad moral como fray Vasco de Quiroga. Esta Audiencia trabajó a favor de la Corona al imponer el orden en Nueva España, suprimiendo todo lo hecho por la Primera Audiencia, regresar a la normalidad a la población indígena y realizar el juicio de residencia (practicado a todos los representantes del rey que gobernaban América) a Nuño de Guzmán.

Hernán Cortés, durante su mandato como capitán general, organizó una expedición compuesta de tres navíos. Llegó hasta Baja California, explorando el mar que hoy lleva su nombre. Cortés murió en España en 1547 y años después sus restos fueron traídos a México.

El primer virrey
Antonio de Mendoza.

En cinco años, la Segunda Audiencia logró imponer un orden que jamás se había vivido en estas tierras y, sin embargo, en 1535 Carlos I decidió hacer cambios políticos trascendentales, pues deseaba instaurar una forma de gobierno que le fuera más leal que cualquier otra y que, paralelamente, controlara a los españoles, quienes so pretexto de la distancia mostraban demasiada autonomía. Fue por estas razones que Carlos I decidió convertir a Nueva España en Virreinato, nombrando para el cargo de primer virrey a don Antonio de Mendoza.

La época virreinal (1536 - 1700)

El rey de España era el máximo gobernante de Nueva España pero, como no podía venir a estas tierras y gobernarlas directamente, enviaba a un representante suyo para que tomara medidas en su nombre. A este representante se le conocía como "vice rey" o "virrey".

El virrey en Nueva España tenía el poder absoluto en el Virreinato. Cinco eran los cargos de los virreyes. Como gobernadores debían vigilar que los indígenas no fueran maltratados; designar a los cargos políticos de baja jerarquía; atender las cuestiones relacionadas con la alimentación, moral y salubridad, y expedir decretos. Como capitanes generales debían encargarse de la pacificación del territorio, principalmente en zonas donde los indígenas fueran sedentarios, y defenderlo de un posible ataque extranjero. En su función de superintendentes de la Real Hacienda se encargaban de las finanzas del Virreinato. Como vicepatronos de la Iglesia tenían la autorización para intervenir en asuntos de los cleros regular y secular, así como de proveer a los curatos de sacerdotes propuestos por los obispos.

Con el virrey también gobernaba la Audiencia, formada por un presidente y cuatro oidores. Fungía como la principal autoridad judicial en Nueva España. A través de tribunales civiles y criminales administraba la justicia, mientras que con los tribunales de apelación podían revertir sentencias dadas por el virrey, personaje al que aconsejaba en asuntos administrativos y judiciales y al que podía suplir en su ausencia. La Audiencia, a final de cuentas, fue creada por la Corona española para limitar el poder del virrey e impedir que cometiera excesos.

Las ciudades más importantes se encontraban gobernadas por los corregidores, españoles escogidos por el rey para desempeñar tal labor. Sin embargo, los alcaldes mayores —que colaboraban estrechamente con los corregidores— eran escogidos por el virrey y su función era la de recaudar y administrar los impuestos. Debajo de ellos estaban los ayuntamientos, conformados por los habitantes españoles de las ciudades donde éstos se habían fundado. En su interior se encontraba el cabildo o concejo municipal formado por los alcaldes menores y los regidores, quienes se encargaban de aplicar las disposiciones virreinales, o bien de arreglar problemas locales de poca importancia. En las comunidades indígenas también se aplicó el modelo municipal pero con ciertos cambios, pues ahí se prohibió la penetración de los blancos (salvo los sacerdotes y misioneros) y se dejó el sistema de los señoríos controlados por caciques, que recibieron el trato de nobles y obtuvieron privilegios como la exención del pago de tributos.

Conforme se fue generando la expansión territorial novohispana en los siglos XVI, XVII y XVIII, los corregimientos, alcaldías mayores y los cabildos fueron organismos que adquirieron mayor importancia pues se convirtieron en los únicos medios para mantener el control político y económico español en este territorio.

Como se había mencionado antes, las cuestiones del descubrimiento, conquista y colonización de territorios en América están vinculadas a la búsqueda y posesión de oro y plata. Nueva España no fue la excepción, ya que la doctrina económica en boga en el siglo XVI era la mercantilista, cuyo principio rector era que la riqueza de un país radicaba en la cantidad de metales preciosos que tuviera. Ello, por supuesto, no se oponía a la acumulación de tierras como un medio para generar riquezas a los individuos. Es por lo anterior que en esta época se estableció una estrecha relación entre el tipo de propiedad de la tierra, las diferentes formas de trabajo indígena y las actividades económicas tradicionales (agricultura, ganadería).

La encomienda fue el primer tipo de propiedad de la tierra que los españoles pusieron en vigor. Su origen se vincula a la misma conquista de México-Tenochtitlán, pues cuando ésta culminó, los conquistadores cayeron en la cuenta de que el botín de guerra era escaso. Quedaron muy molestos y Cortés, antes de que hicieran una revuelta, violó las ordenanzas de la Corona y comenzó a repartirles encomiendas.

El dueño de una encomienda —encomendero— no recibía la propiedad de la tierra y de todo lo que en ella hubiese, sino el derecho de su usufructo, a cambio de lo cual se comprometía a ser fiel a la Corona y facilitar la evangelización y educación de los indígenas —también llamados encomendados—. En la práctica, este sistema fue un fracaso por los excesos cometidos por los encomenderos, a quienes no les importaba lo que la legislación y la Corona les exigían. Se quedaban con una porción mayor de lo que les correspondía de los tributos, exigían oro como tributo a los indígenas, les obligaban a permanecer fuera de las tierras de sus comunidades por más de veinte días y no se preocupaban por su evangelización; todas ellas violaciones flagrantes de las Ordenanzas de buen gobierno emitidas por Cortés en 1524.

La Corona veía con malos ojos este sistema por ser evidente que los encomenderos estaban adquiriendo mucho poder y mostraban una creciente independencia de España. En 1542, el primer virrey Antonio de Mendoza, por órdenes del ya emperador Carlos V, mostró energía al firmar un decreto en el que se establecía que no se iban a dar más encomiendas y que los nietos de los encomenderos no heredarían ese privilegio, pues las encomiendas pasaban a manos de la Corona.

A inicios del siglo XVII la encomienda, como sistema, se encontraba en decadencia gracias a la labor realizada por la Corona y al dramático descenso que, debido a los abusos y enfermedades, la población indígena sufrió en la segunda mitad del siglo XVI.

A la encomienda le sucedió el repartimiento. En él, todos los indígenas entre los 14 y los 60 años (a excepción de los nobles de cada comunidad) debían realizar trabajos forzosos a favor de los empleadores españoles. Las comunidades enviaban cada seis meses sus cuadrillas y las labores no debían durar más de dos semanas. A los indígenas se les empleaba en trabajos agrícolas, mineros, de obras públicas y para el servicio doméstico. A cambio, cada uno de los trabajadores recibía una paga proporcional al tipo de trabajo realizado y al tiempo dedicado al mismo. En cada repartimiento estaban los oficiales reales cuya labor era la de evitar que los empleadores españoles abusaran de los indígenas aunque esto se producía frecuentemente.

A inicios del siglo XVIII la Corona suprimió los repartimientos por la presión de los sacerdotes protectores de los indígenas y por considerar que se trataba de un trabajo forzoso. En su lugar, se dio el trabajo libre asalariado en el que los trabajadores agrícolas, industriales, ganaderos y mineros, se ponían de acuerdo con el empleador para recibir un salario por su quehacer.

En otro orden de ideas, uno de los efectos generados por la conquista fue el de la unión de las estructuras de producción española y mesoamericana. Llegaron nuevos animales (caballos, vacas, ovejas, cabras, pollos), instrumentos de trabajo (rueda y molinos) y cultivos (trigo, caña y lino) que se combinaron con los productos de los que se servían por los indígenas (guajolote, frijol, henequén, maíz).

El desarrollo de las actividades económicas en Nueva España no fue un proceso anárquico o improvisado; la Corona española lo ideó de tal forma que satisficiera sus necesidades económicas y comerciales. No es de extrañar, entonces, que al interior del Virreinato —como en el resto de la América española— se diera una especialización regional en las producciones de bienes y servicios.

Inicialmente, la agricultura tuvo un desarrollo lento como consecuencia de la necesidad de climatización de los cultivos traídos desde Europa y por el desinterés de los españoles por realizar ellos mismos este tipo de trabajos, a los que por ser manuales consideraban como inadecuados para ellos. Sin embargo, con el paso del tiempo gran parte de los productos agrícolas españoles se comenzaron a producir en estas tierras y se incorporaron a los hábitos alimentarios de los novohispanos. Curiosamente hubo productos, como la vid y el olivo, que por su calidad y su cantidad tuvieron que ser prohibidos por la Corona, porque afectaban a los comerciantes que traían tales productos de España y pagaban altísimos impuestos de importación.

La llegada de los españoles generó un cambio trascendental en la producción agrícola. Implantaron el sistema de rotación de cultivos, gracias al cual se lograba darle más "vida" productiva a las tierras y generar un desgaste homogéneo de sus nutrientes. También incrementaron la producción de las tierras al usar los abonos animales y le imprimieron velocidad al sistema de siembra a través del arado, la rueda y la yunta.

Los indígenas, principales afectados por esta revolución agrícola, supieron adaptarse muy bien a los nuevos tiempos pues, por un lado, siguieron consumiendo de manera generalizada maíz, frijol, chile y maguey y, por el otro, incorporaron en su vida, aunque fuera en pequeñas proporciones, trigo, caña de azúcar y lino.

Las regiones del interior del Virreinato se especializaban en el cultivo de trigo maíz, frijol, calabaza y cebada, mientras que en las costeras se producían cacao, caña de azúcar, algodón, vainilla y añil.

A diferencia de la agricultura, la ganadería no tuvo problemas en su desarrollo en Nueva España. Las razones son simples: en el mundo mesoamericano no existían animales de carga y de tiro y, además, las condiciones geográficas y climatológicas —grandes planicies y climas templados— favorecían el desarrollo ganadero del país.

Desde el principio, el caballo se convirtió en un animal esencial para los españoles pues, además de ser un símbolo de estatus, por su precio, era un medio de transporte vital para recorrer las grandes distancias existentes en Nueva España. Con el paso del tiempo, la proliferación de este ganado fue tal que sus precios bajaron tanto que hasta los blancos y mestizos pobres pudieron adquirirlo.

Los burros también fueron importantes. Traídos de España, los burros eran utilizados como animales de tiro y carga, por lo que ayudaron a que los cargadores indígenas —tamemes— dejaran esa pesada tarea y se dedicaran a otras menos exigentes.

Además de estos animales, el ganado vacuno, porcino, ovino y caprino también proliferó. Fue tanta la aceptación que estas bestias recibieron por parte de los indígenas, que rápidamente se multiplicaron. Los hábitos alimentarios de las comunidades se transformaron pues cabras, vacas, aves de corral y cerdos se convirtieron en parte de la dieta indígena. Las ovejas también fueron aceptadas por ellos ya que gracias a ellas comenzaron a utilizar ropa de lana.

Los españoles se dedicaron a explotar el ganado mayor y obtenían ganancias considerables comerciando con la carne y los cueros de toro y de vaca. Este tipo de ganado generó un serio problema: frecuentemente invadía las tierras de las comunidades indígenas, causando daños y enfrentamientos entre ganaderos e indígenas. Conforme la ganadería se fue desplazando al norte del país, donde existían grandes extensiones de tierras sin comunidades, el problema se resolvió.

Fue la minería, sin lugar a dudas, la actividad económica más boyante de Nueva España y, en consecuencia, de España. Como el subsuelo pertenecía a la Corona, ésta lo concesionaba a particulares en un deseo por favorecer la explotación de los metales preciosos. Quien adquiría la mina debía pagar a la Corona anualmente el equivalente a un veinteavo de la producción de la mina y, además, pagar un quinto del valor de cada lingote de oro y plata que le eran quintados por representantes del gobierno español.

Conforme Nueva España creció hacia el norte, la actividad minera fue aumentando. La llegada de los españoles a la región de Guanajuato marcó el inicio del desarrollo minero novohispano pues, según se decía en el siglo XVI, la región era tan rica en plata que las vetas se veían en el suelo. A pesar de ello, la minería tuvo que afrontar y resolver dos problemas: la mano de obra y el proceso de depuración de la plata.

Así como la región central estaba densamente poblada por indígenas, en el norte eran pocos y además morían muchos por el duro trabajo en las minas. Fue a través de la contratación de mano de obra libre y del uso de esclavos de origen africano —efectivos por su condición física y por estar acostumbrados a las altas temperaturas—, que se pudo resolver la falta de mano de obra.

Inicialmente el proceso de refinación de la plata era largo y costoso, pues se basaba en la trituración de piedras para obtener el mineral que posteriormente era fundido. A finales del siglo XVI un minero novohispano encontró una técnica más efectiva: la amalgamación, sistema más sencillo y económico en el que el uso del mercurio (traído de Perú y Alemania) ayudaba a purificar el metal.

Para satisfacer las necesidades manufactureras, los españoles echaron mano, inicialmente, de los indígenas; pero conforme el número de éstos disminuyó y el de los blancos aumentó, comenzaron a surgir organizaciones gremiales al estilo europeo para cubrir la demanda.

Desde el inicio de la presencia española se dio la proliferación de los obrajes, centros textileros que se encargaban de fabricar textiles de algodón, lana y seda, cuya demanda era tanta que hubo periodos, en los que no toda la población podía disponer de ropa para vestirse. Habitualmente los textiles producidos en Nueva España eran de calidad y de buen precio, por lo que una gran porción de la población tenía acceso a ellos.

Siempre hubo un rico pero irregular intercambio comercial entre la Nueva y la vieja España. El tráfico comercial, controlado por la Casa de Contratación de Sevilla, se basaba en las necesidades económicas que sufrían tanto la metrópoli como el Virreinato. Productos europeos como vino y aceite de oliva; y asiáticos, como porcelanas y joyas, eran intercambiados por cueros, plata, vainilla y cacao.

Esta actividad tenía como escenarios a los dos puertos más importantes: Acapulco y Veracruz, que recibían tanto los barcos provenientes de Filipinas, como aquellos que habían zarpado de Sevilla. Cuando los productos extranjeros llegaban a uno de estos puertos, eran transportados a la ciudad de México y de ahí se redistribuían por el resto de Nueva España. Esta situación conllevó al surgimiento de un sólido grupo de comerciantes que se agrupó en el Consulado de México que, entre otras tantas funciones, controlaba las actividades comerciales interoceánicas en conformidad a sus deseos económicos.

Durante los siglos XVI y XVII las riquezas enviadas a España desde el Nuevo Mundo despertaron la codicia de piratas y corsos. Para luchar contra ellos se dispuso, en 1529, que las naves viajaran en convoy protegidas por buques de guerra.

Otro de los retos a los que se tuvieron que enfrentar los españoles en Nueva España fue el de, la evangelización de sus pueblos. Los europeos consideraban que el descubrimiento y conquista de América eran premios que Dios les había dado y que, a cambio, les exigía que enseñaran la doctrina cristiana a los originarios de estas tierras. Los encargados de llevar a cabo esta titánica labor fueron los misioneros, es decir, los miembros del clero regular.

Entre 1524 y 1576 llegaron a Nueva España los franciscanos, los dominicos, los agustinos y los jesuitas (en este mismo orden). Las tres primeras órdenes habían tenido una tradición misionera en Europa que, aunada a la pobreza con la que vivían sus miembros, les permitió acercarse a las comunidades indígenas en tiempos en los que los indios sufrían tantos abusos de los blancos que desconfiaban mucho de ellos, sin importarles el tipo de trabajo que ejercieran. Sin embargo, la aceptación de los misioneros también se debió a que los indígenas comprendieron que ellos poco o nada tenían que ver con los abusivos encomenderos, o con los belicosos soldados.

Los franciscanos ocuparon Jalisco, México, Michoacán, Zacatecas, Yucatán y parte del norte del Virreinato; los dominicos hicieron lo propio en Chiapas, Guatemala, México, Oaxaca y Puebla; mientras que los agustinos se ubicaron en México y Michoacán. Los jesuitas establecieron colegios en la ciudad de México y realizaron una notable labor evangelizadora entre los grupos chichimecas del norte del país.

Los medios utilizados por los evangelizadores para realizar su trabajo fueron muy variados, aunque casi todos partían del principio de aprender las lenguas indígenas. Hubo quienes se dedicaron a evangelizar y educar a los niños indígenas nobles, dejando a un lado al resto. Otros estudiaron las creencias, costumbres y ritos mesoamericanos para buscar paralelismos que facilitaran la enseñanza y el aprendizaje de la nueva religión. Aquellos más versados en la didáctica no dudaron en recurrir a los cantos, pinturas y representaciones teatrales para hacer comprender a los indígenas las enseñanzas de Cristo. Además, los frailes dejaron una valiosa información para conocer el pasado indígena a través de sus libros.

A lo largo de los 300 años que duró el Virreinato la Iglesia, como institución, creció también gracias a la labor del clero secular. Desde un inicio se organizó en diócesis y provincias eclesiásticas que le permitían no sólo favorecer el proceso de evangelización, sino también controlar a los evangelizados. Con el paso del tiempo, y gracias a los diezmos, donaciones y herencias, la Iglesia católica comenzó a acaparar una gran cantidad de tierras y bienes de consumo que eran administrados por el clero secular que, a su vez, tenía fama entre los regulares de vivir con mucho lujo y fastuosidad. No es de extrañar que las disputas entre ambos grupos de la Iglesia fueran constantes durante esta época. Lo cierto es que la Iglesia se convirtió en una potencia económica tan fuerte que, se calcula, poseía una sexta parte de todas las tierras del país.

Mucho se ha dicho sobre la Inquisición y una gran parte de ello se debe a la leyenda negra que los ingleses crearon desde el siglo XVII. Establecida en Nueva España desde 1571, la Inquisición —o Tribunal del Santo Oficio— era el organismo encargado de la preservación de la pureza religiosa en estas tierras. La persona enjuiciada por primera vez y que era hallada culpable se llamaba lapso y se le dejaba libre, pero en caso de reincidir se le llamaba relapso y ya no tenía perdón, aunque la pena la imponía el poder civil y no la Inquisición, y los indígenas no podían ser juzgados. Otra parte de la leyenda negra es la de las ejecuciones públicas realizadas por el Tribunal del Santo Oficio. Se ha creído por mucho tiempo que el ajusticiamiento de los culpables en la Plaza de Santo Domingo, en la hoy ciudad de México, era una práctica común pero bastó el trabajo de archivo para notificar que entre 1571 y 1821 se ejecutaron en público a 51 personas, lo que da un promedio de una ejecución casi cada cinco años.

En lo más alto de la sociedad novohispana se encontraban los españoles quienes, por haber realizado la conquista o descender de aquellos que llevaron a cabo tal proceso, se habían adueñado de estas tierras. Ahora bien, con el paso del tiempo comenzaron a distinguirse dos tipos de españoles: los venidos de Europa o peninsulares y los nacidos en América o criollos. Lo curioso era que aunque la ley establecía que ambos eran españoles, en la práctica los segundos eran discriminados por los primeros.

Muchos de los peninsulares que en la época virreinal llegaron al país lo hicieron como acompañantes de los virreyes, como profesionistas pobres que querían abrirse campo, como oportunistas que querían hacer fortuna rápidamente y como militares. Gran parte de ellos compartían la ambición de enriquecerse, con medios lícitos unos, o ilícitos otros. Era palpable que los peninsulares tenían los mejores puestos administrativos y religiosos, y que eran muy apreciados por las familias criollas, las cuales soñaban con que sus hijas se casaran con ellos para adquirir prestigio y mejorar su nivel social. La mayoría de los peninsulares vivían en los grandes centros urbanos de Nueva España.

Los criollos sentían orgullo por ser españoles, a pesar de que la Corona sólo les permitía acceder a cargos administrativos y religiosos de poca monta. Esta situación enojosa para los criollos llegó a ser tan ridícula que hasta se buscó la justificación "científica" que sustentaba que los nacidos en estas tierras eran inferiores pues el clima imperante en ellas les hacía débiles de carácter, y que tal proceso no tenía arreglo por su carácter degenerativo.

Los criollos deseaban que la Corona les permitiera acceder a los puestos inmediatos y eran poquísimos los criollos que pensaban en la independencia, pues la gran mayoría sólo quería un cambio dentro del marco virreinal. La reacción criolla más bien se enfocó hacia el surgimiento de una fuerte corriente de orgullo por haber nacido en América que ha sido denominada "criollismo".

Para muchos la gran frustración del criollo novohispano radicaba en que era tan español como el peninsular, tenía un poder económico mayor al de los europeos y, sin embargo, no tenía acceso al poder político. En pocas palabras, compartía cultura, tradiciones y el orgullo de pertenencia con el peninsular y era tratado como español de segunda.

Producto directo de la conquista fue el surgimiento del grupo de los mestizos, aquellos de padres españoles y madres indígenas (eran raras las situaciones con padre indígena y madre española). Desde que pisaron estas tierras, los conquistadores mantuvieron relaciones, forzadas o voluntarias, con las indígenas, cuyo producto fue el nacimiento de una gran cantidad de hijos ilegítimos que no eran ni españoles ni indígenas. Durante los siglos XVI y XVII los mestizos no habían desarrollado una identidad grupal y, por ello, era común que se integraran a la sociedad indígena o a la española dependiendo de la pigmentación de su piel, con el conocimiento de que ninguna de éstas le aceptaría cabalmente. Esta situación generaba la marginación de los mestizos pues en las ciudades sólo podían desempeñar trabajos de ínfima calidad o dedicarse al robo y a la mendicidad mientras que, en el campo, sólo podían dedicarse al cultivo de la tierra No fue sino hasta el siglo XVIII cuando los miembros de este grupo comenzaron a desarrollar una conciencia de su situación y a sentir, hasta cierto punto, orgullo por su origen, sin que ello cambiara su situación política y económica.

Una situación que pone de manifiesto la obsesión de los españoles peninsulares por la cuestión de la limpieza de sangre, la pureza étnica, es la de las castas. Todo aquel individuo cuyos padres no fueran españoles o indígenas, pertenecía al mundo de las castas. El hijo de español y mestiza era castizo; el de negra y español, mulato; de mulato y español, morisco; de morisca y español, albino, y así sucesivamente. Por su impureza de sangre, los miembros de estos grupos eran despreciados por los españoles y por ello se dedicaban a los trabajos pesados, a la servidumbre o a mendigar en las ciudades siendo, en el mejor de los casos, su única opción de vida digna las labores del campo.

Los indígenas vivían una circunstancia ambivalente, pues por un lado había un sinnúmero de leyes que les protegían al grado de considerarles menores de edad, pero, por el otro, eran víctimas de las más vil explotación por parte de los encomenderos, dueños de repartimientos y autoridades políticas de bajo rango. En las ciudades vendían sus productos y trabajaban como personal doméstico.

Por último, se encontraban los africanos, aquellos individuos que habían sido capturados por los ingleses y portugueses y vendidos como esclavos en América. Aunque en Nueva España los indígenas eran una mano de obra considerable, había ciertas actividades que, por su complexión, su fortaleza o su origen, no podían realizar. En las minas, donde el calor al final del tiro era insoportable y donde varios indígenas morían al mes por esa razón, los africanos eran utilizados gracias a su resistencia física. En las haciendas y trapiches se les utilizaba como mano de obra y también como capataces de los indígenas. También se les usaba como personal doméstico en las casas de los más ricos, ya que como los africanos eran tan caros llegaron a convertirse en un símbolo de estatus.

La época virreinal (1700 - 1808)

El inicio del siglo XVIII marcó una serie de cambios importantes en España producidos por un proceso dinástico. En 1700 murió el rey Carlos II —último monarca Habsburgo de España— sin descendencia alguna, situación que motivó a Luis XIV de Francia y a José I de Austria a intentar poner a un familiar suyo en el trono español. Como la vía diplomática no sirvió de mucho, estalló un conflicto que se conoce como "Guerra de Sucesión" que culminaría con el triunfo del rey francés sobre su enemigo austriaco Nunca fue la intención de Luis XIV dejar su tierra para gobernar España, al contrario, tras haber triunfado mandó a su nieto, Felipe de Anjou, a que ocupara el trono hispánico. El 8 de mayo de 1701 fue coronado rey de España con el nombre de Felipe V y estableció en dicho territorio la dinastía de los Borbón —que hoy sigue en el trono—.

Los reyes Borbones, tal vez por su origen francés y su contacto con la Ilustración, querían realizar cambios en España para hacer de ella una nación moderna que sustentara su desarrollo en el comercio y la industria. En este proyecto, los reinos americanos tenían una función importante, pues se les veía como grandes abastecedores de materia prima y, a su vez, generosos mercados cautivos de las manufacturas elaboradas en España. Para poder llevar a cabo lo anterior, es decir las Reformas Borbónicas (nombre dado por los reyes españoles a este plan), establecieron como condiciones necesarias la explotación de todo el potencial productivo de América y la limitación de la autonomía que mostraban los territorios americanos, o sea, quitaron de los puestos más o menos importantes a los criollos que se habían "infiltrado" en ellos.

Aunque las costumbres y mentalidad de la gente evolucionan lentamente, estas reformas en Nueva España generaron cambios que posteriormente tuvieron graves consecuencias.

Conocedores de la corrupción que imperaba entre los funcionarios novohispanos, los reyes Borbones crearon los cargos de revisores y visitadores cuya labor era la de realizar auditorías a todas las dependencias que manejaban los recursos económicos del Virreinato. Como lo anterior no era suficiente para incrementar la recaudación fiscal, la Corona española aumentó escalonadamente los impuestos y creó nuevos monopolios reales.

Los ministros de los reyes Carlos III (1759-1788) y Carlos IV (1788-1808) hicieron ver a los monarcas que un medio para obtener más dinero era incrementar el tráfico comercial entre España y sus reinos americanos. En Nueva España se abrieron nuevos puertos (Tampico, Mazatlán…) para favorecer la entrada y salida de productos que estaban sujetos al pago de impuestos. La política tardó en funcionar pero, cuando lo hizo, dio grandes dividendos a España.

Las Reformas Borbónicas también abordaron el campo de la minería. Los pensadores españoles consideraban que las minas podrían incrementar su productividad si se impulsaba la formación académica de los encargados de planear y llevar a la práctica esta actividad. En 1792 se fundó el Real Colegio de Minería (su sede era el actual Palacio de Minería, en la ciudad de México) y por él pasaron los primeros ingenieros de minas novohispanos que tuvieron una formación científica y tecnológica. Otro cambio importante que benefició a este ramo de la economía fue el de la disminución del precio del mercurio. Conforme los precios de este metal subían la producción de plata se reducía, pues se convertía en una actividad poco rentable.

Los Borbones desconfiaban de las instituciones políticas creadas por los Habsburgos en América pues creían que eran muy autónomas. Aunque su idea no consistía en sustituirlas todas, sí deseaban hacerlas más dependientes de España por medio de la intervención de un grupo de funcionarios leales a la Corona. Esta postura repercutió en Nueva España con la implementación del sistema de intendencias, que marcó un cambio radical en el Virreinato pues los encargados de cada intendencia —llamados intendentes— se habían formado en escuelas para funcionarios (ya no eran nobles amigos del rey como había sido la tradición) y gozaban en su territorio de los mismos poderes que el virrey, cargo que comenzó a perder fuerza y autonomía. La Audiencia también se vio afectada, pues parte de su poder judicial pasó a manos de los intendentes y, además, los criollos que tiempo atrás habían comenzado a ocupar las plazas de oidores fueron expulsados de la Audiencia por la desconfianza que hacia ellos sentía la Corona.

Si con estas reformas los Borbones pretendían centralizar el poder en España y América, también es cierto que tuvieron que enfrentarse a un enemigo que, según ellos, ponía en peligro la fuerza de la Corona: la Compañía de Jesús. Esta orden religiosa tenía mucho poder político y económico en América, tanto que no eran pocos los que afirmaban que el general de la Compañía —su máxima autoridad— era más rico y poderoso que el mismo rey de España. En el territorio novohispano los jesuitas, como se conoce a los miembros de esta orden, tenían fuerza dentro de la sociedad pues eran los encargados de educar a la élite criolla en sus colegios. No es de extrañar que cuando Carlos III decretó la expulsión de la Compañía de Jesús de España y América, en Nueva España explotaran levantamientos criollos, mestizos, indígenas y de las castas para impedir que se cumpliera con esta orden. De poco sirvieron tales manifestaciones de apoyo, pues los jesuitas terminaron refugiándose en Italia.

Para hacer justicia a las Reformas Borbónicas, hay que destacar la vena cultural que les caracterizó en Nueva España, pues gracias a ella es que llegaron las ideas ilustradas de Francia. Si bien el objetivo de este texto no es abundar en este proceso cultural, basta decir que los ilustrados exaltaban la razón humana por encima de todas las cosas pues veían en ella la solución de todos los males de la humanidad.

Los criollos educados en colegios jesuitas o en instituciones como la Real y Pontificia Universidad de México, la Universidad de Guadalajara, el Colegio de San Carlos, el Seminario de Minería, etc., fueron los que mostraron un mayor apego por la Ilustración. Junto a la Corona española trabajaron para que la educación se difundiera entre las clases más bajas, y para ello comenzaron a fundar academias y escuelas laicas, así como bibliotecas públicas. La ciencia adquirió importancia por ser un medio que desarrollaba la razón y fomentaban la industria, parte fundamental del progreso humano. Por citar algunos ejemplos, el Seminario de Minería contaba con los instrumentos y libros de matemáticas, química, física, mineralogía y metalurgia más avanzados de la época. En 1770 se fundó la Real Academia de Cirugía para formar médicos más "científicos", los maestros que ahí laboraban apoyaban sus cursos con prácticas de anatomía y en 1772 lograron publicar *El Mercurio Volante*, primer periódico médico de toda América.

De esta forma transcurrieron los últimos años de vida del México virreinal hasta los primeros años del siglo xix.

Capítulo 3

La lucha por la independencia (1808 - 1821)

Los antecedentes

Una guerra de independencia no es un proceso que se geste de la noche a la mañana, o bien que se dé sin causa alguna. Aunque este fenómeno estalló en 1810, sus antecedentes se remontan a tiempo atrás.

Como una de las causas internas de la lucha por la independencia se puede considerar, en primera instancia, el proceso de decadencia por el que pasaba España. Históricamente hablando, esta nación europea se caracterizó por tener un espíritu tan belicoso que constantemente se enfrascaba en guerras continentales que financiaba con los recursos enviados por América. Cuando se implantó en España la casa de los Borbones, y por ser éstos de origen francés, la Corona adquirió el compromiso de que cuando su similar francesa fuera atacada por una nación enemiga España tendría que apoyarla militarmente. El paso de los años demostró que este "pacto de familia" fue más ventajoso para los francos, ya que fueron más numerosas las ocasiones en que España defendió a Francia. Ahora bien, estas guerras eran muy costosas y la Corona española podía financiarlas sólo por medio de una política de préstamos obligatorios y de incremento de impuestos. En Nueva España esta medida fue despiadada y aunque afectaba a todos, los criollos resultaron ser los más perjudicados por ser el grupo económicamente más fuerte.

Otro acto torpe o insensible por parte de la Corona fue la famosa "Cédula de Consolidación de Vales Reales". En la época virreinal no existían bancos en Nueva España; si alguien requería un préstamo, situación muy común en el campo, recurría a la Iglesia, institución que, a cambio de la firma de un vale, daba un préstamo al solicitante. Se calcula que, en 1804, año en el que entró en vigor la cédula, el noventa por ciento de las propiedades rurales estaban endeudadas con la Iglesia. Pues bien, a través de la Cédula de Consolidación de Vales Reales lo que hizo la Corona fue quitarle a la Iglesia estos adeudos e intentar cobrarlos, bajo la amenaza de que quien no pagara perdería sus propiedades. Muchos deudores temerosos se apuraron a mal vender otras posesiones para poder saldar su deuda, sin tener conocimiento de que el monto total de los vales que el gobierno español tenía en sus manos superaba en varios millones de pesos al total del circulante en Nueva España; en pocas palabras, no había suficiente dinero en el país para pagar la totalidad de los adeudos que por siglos se habían acumulado.

Otro factor a considerar fue el descontento de los criollos por la discriminación. Los españoles americanos, orgullosos por haber nacido en un continente tan rico como éste, tenían que soportar grandes cargas fiscales y, además, eran marginados de los puestos importantes en la política, el clero, el gobierno y la milicia, siendo esta su principal demanda.

Como causa externa de la guerra de Independencia, se ha considerado tradicionalmente la invasión napoleónica a España. El emperador francés, Napoleón Bonaparte, deseaba a inicios del siglo XIX imponer un bloqueo marítimo contra los ingleses, sus acérrimos rivales. Este bloqueo continental implicaba que Francia controlara todos los países europeos que tuvieran costas al norte, pues de ahí saldrían los barcos que impedirían que otros navíos pudieran entrar o salir de Inglaterra. Con ello conseguiría que los ingleses no pudieran comerciar con sus colonias y los sumiría, de esta manera, en una profunda crisis económica que facilitaría a Napoleón su conquista. Los dos únicos reinos que les faltaban a los franceses para concretar este plan eran España y Portugal.

Mientras tanto, en España las cosas no marchaban bien. Carlos IV mostró, desde su llegada al trono, un desinterés y una notable incapacidad para gobernar, por lo que siempre dejó el control político en manos de favoritos o validos. El último de éstos fue Manuel Godoy, un joven político que a base de corruptelas y de amoríos con la reina, María Cristina, logró hacerse de una fortuna considerable, ostentar el cargo de primer secretario y, con éste, tener el control político de España.

La incapacidad del rey y la ambición de su secretario fueron factores a los que Napoleón les supo sacar provecho. En 1807 Napoleón pidió permiso a Carlos IV para atravesar España a fin de conquistar Portugal. Godoy —a quien el emperador francés le había prometido dar una porción del país en cuestión— logró que el rey de España diera la autorización y que prestara soldados a Napoleón. Cuando Portugal fue sometido en 1808, los españoles pudieron constatar que los franceses en vez de abandonar su territorio, incrementaban su número en lo que para muchos fue una de las conquistas más fáciles que tuvo Napoleón. El pueblo culpó de ello a Carlos IV quien, desesperado por su impotencia para detener la invasión, abdicó en favor de su hijo Fernando VII, joven monarca que mostró mayor interés por el poder pero igual incompetencia que su padre para detentarlo.

Para Napoleón esto no fue un obstáculo, pues a través de engaños logró llevar a Francia y encarcelar a Carlos IV y Fernando VII. Una vez que toda la familia real española fue privada de su libertad, el emperador francés logró que el hijo abdicara a favor del padre, que éste lo hiciera a favor de Napoleón Bonaparte y él, por último, nombró a su hermano José como rey de España. Cuando la noticia de la aprehensión de los monarcas llegó a España, al mismo tiempo que su nuevo rey juraba el cargo, el pueblo salió a las calles para repudiar estos hechos. Una ola de violencia contra los franceses se generó en las ciudades españolas más importantes y, con ella, una de las más cruentas represiones en la historia de la humanidad. Era el 2 de mayo de 1808.

Los políticos españoles que desconocían el régimen de José I declararon que mientras Fernando VII estuviera encarcelado, el trono español quedaba vacío y que, por ello, cada provincia debía crear juntas que gobernaran en nombre del rey encarcelado. La propuesta tuvo éxito y rápidamente cada provincia creó sus juntas de gobierno, suscitándose así un caos, pues cada organismo actuaba en función de sus intereses y no en los de la nación. Para evitar este problema, se decidió crear una Junta Central en Cádiz cuya función fuera la de ser la cabeza de sus similares a nivel local y dictarles órdenes sobre lo que debían hacer.

Cuando las noticias sobre el encarcelamiento y la abdicación de Fernando VII llegaron a Nueva España, el pavor se apoderó de la clase política y de los criollos. ¿Qué es lo que debían hacer para no traicionar al rey? Las facciones surgieron rápidamente. Los criollos defendían la postura de que se debía organizar una junta de gobierno en nombre de Fernando VII, aunque no decían que ellos fueran a controlar dicha junta. Los peninsulares, por su parte, establecían que el real Acuerdo (asamblea gubernativa conformada por el virrey, la audiencia y el arzobispo de la ciudad de México) tenía que gobernar hasta que se esclareciera el panorama en la metrópoli.

La situación se tensó cuando el virrey, José Iturrigaray, no quiso apoyar a ninguna de las partes. Este hecho fue tomado por los peninsulares como muestra de su apoyo a los criollos que, según los europeos, querían aprovechar la situación para proclamar la independencia del Virreinato. Fue por lo anterior que en la noche del 15 de septiembre de 1808, un grupo de comerciantes peninsulares entró en el palacio de gobierno, apresó al virrey y a su familia y puso en su lugar al hacendado Gabriel de Yermo.

A partir de este momento los criollos comenzaron a tildar al gobierno de la ciudad de México como ilegítimo porque ni representaba al rey, ni al pueblo novohispano. También hay que destacar que esta repulsa era el resultado de la frustración de los españoles americanos quienes veían cómo se disipaban sus sueños de llegar al poder. Dispuestos a no quedarse cruzados de manos, los criollos más comprometidos con la causa de establecer en el Virreinato una junta de gobierno, comenzaron a hacer conspiraciones en diversos puntos del mismo a partir de 1809. Todas estas confabulaciones (en Celaya, San Miguel el Grande, Valladolid...) compartían algunos elementos: coincidían en que había que eliminar al gobierno de la ciudad de México para consumar su meta, también existía una mayoría criolla dispuesta a sacrificarse y, finalmente, fueron descubiertas antes de estallar.

El movimiento de Hidalgo (1810 - 1811)

De todas estas juntas, la más famosa fue la de Querétaro (1810) por ser considerada la iniciadora del movimiento de independencia mexicano. Ignacio Allende, Juan Aldama, Miguel Domínguez, Josefa Ortiz de Domínguez —mejor conocida como la Corregidora, por estar casada con el corregidor de Querétaro— y Miguel Hidalgo fueron sus miembros más famosos. El cura Hidalgo fue el último en unirse a la confabulación y ello se debió a la intervención de su amigo Allende, quien, consciente de

Miguel Hidalgo.

que un sacerdote ayudaría a que más gente se uniera al movimiento, lo invitó a que participara.

Miguel Hidalgo y Costilla era un párroco poco habitual. Asentado en el pequeño pueblo de Dolores y proveniente de buena familia, este criollo ilustrado se preocupó por conocer las necesidades de sus feligreses más pobres y de ayudarles a través de la creación de pequeñas fábricas de loza, el cultivo de la morera, para producir el gusano de la seda, la enseñanza de la música y el teatro, etcétera.

Los conjurados tenían planeado iniciar el levantamiento en diciembre de 1810, pero fue en septiembre del mismo año cuando las autoridades españolas fueron notificadas de la existencia de la conspiración en Querétaro y actuaron para detenerla. Al momento en que los primeros criollos fueron detenidos, los conspiradores comenzaron a cuestionarse si debían lanzarse a las armas o entregarse a las autoridades. Hidalgo fue el encargado de tomar la decisión. En la madrugada del domingo 16 de septiembre de 1810, junto a Abasolo y Allende, tocó las campanas de su iglesia y se dirigió a sus feligreses para que, junto a ellos, tomaran las armas. A este suceso se le conoce como "el Grito" (que aún se celebra año tras año el 15 de septiembre). Tradicionalmente se dice que en este acto Hidalgo invitó a los mexicanos

51

a que pelearan contra el mal gobierno de España, contra los gachupines, como llamaba el pueblo a los españoles peninsulares y a favor de la independencia. No pudo convocar a los mexicanos porque México, el país, aún no existía y los únicos mexicanos existentes eran los habitantes de la capital del Virreinato; sí se refirió al mal gobierno, pero haciendo referencia a que éste era el de la ciudad de México porque había emanado de un golpe de Estado; no pudo haber declarado la independencia pues la mayoría de las versiones coinciden en que una parte fundamental de este llamado fue "Viva Fernando VII". Según se ve, este movimiento deseaba tomar el poder para crear una junta de gobierno criolla.

Desde su inicio, el levantamiento de Hidalgo tuvo como metas claras tomar las ciudades de Guanajuato, primero, y de México, después. La asonada también fue atractiva para las mayorías pobres de la región central de Nueva España, pues les gustaba y daba confianza que un sacerdote fuera el líder, que la imagen de la Virgen de Guadalupe fuera su bandera y que se les permitiera combatir a los peninsulares.

Los criollos del resto del Virreinato vieron con beneplácito inicial el movimiento, pues comprendían que les iba a permitir tener acceso al poder político. Esta situación cambió cuando se difundieron en Nueva España los sucesos ocurridos en la Alhóndiga de Granaditas a finales de septiembre. Situado en la ciudad de Guanajuato, punto vital del Virreinato, este almacén fue utilizado por los peninsulares como refugio frente a la inminente llegada de Hidalgo y su improvisado ejército de 50,000 hombres. Después de un cruento sitio, los levantados en armas lograron acabar con la resistencia y entraron al recinto para matar a los sobrevivientes; no conforme con ello, la turba desbordada salió por las calles de Guanajuato para saquear las viviendas y los comercios. Este caos sólo pudo ser controlado cuando Allende impuso el orden por la fuerza. Estos hechos inusitados en Nueva España hicieron que los criollos le quitaran su apoyo a Hidalgo, pues si bien querían el control político, no lo deseaban a costa de la violencia y del desorden. Otros, además, pensaban que lo ocurrido en Guanajuato también podía suceder en la ciudad de México, altiva capital del Virreinato, atrayendo consecuencias nefastas para Nueva España.

Ello no importó a Hidalgo pues mientras se enfilaba a la ciudad de México, su ejército continuó aumentando hasta llegar a tener la asombrosa cifra de 80,000 hombres. Con un contingente así era de esperarse que el ejército virreinal fracasara en todos sus intentos por detenerlo. El 30 de octubre, las tropas españolas y rebeldes se enfrentaron en el Cerro de las Cruces (ubicado en la actual Cuajimalpa), en lo que para Hidalgo era el último obstáculo para llegar a la ciudad de México. Después de seis horas de batalla, los soldados españoles fueron derrotados y todo quedó listo para la ocupación de la urbe. Fue en este momento cuando la historia dio un giro insospechado. El 31 de octubre Hidalgo tomó una decisión que sorprendió a todos: ordenó la retirada. ¿Por qué retirarse cuando el fin último estaba a punto de concretarse? Hidalgo nunca lo explicó.

En noviembre de 1810 y como consecuencia de la medida anterior, Hidalgo y Allende decidieron separarse. El primero marchó a la ciudad de Guadalajara y el segundo a la de Guanajuato. La separación no sentó bien a ninguno, puesto que Allende sufrió derrota tras derrota frente al ejército realista, e Hidalgo se dedicó a menesteres de tipo jurídico olvidándose por completo de la cuestión militar, tan importante para la subsistencia del levantamiento. En enero de 1811 ambos caudillos se juntaron de nuevo para fortalecer al movimiento y ofrecer un frente común contra el coronel realista Félix María Calleja que estaba muy cerca de Guadalajara. El enfrentamiento se llevó a cabo el 7 de enero de 1811 en un lugar llamado "Puente de Calderón" y el saldo ahora fue favorable para los españoles. Calleja no sólo derrotó a Hidalgo y a Allende, sino que acabó literalmente con su ejército al aprehender a gran parte de sus oficiales y apoderarse de casi todos sus cañones. Hidalgo y Allende escaparon casi milagrosamente y tras reencontrarse en el actual estado de Aguascalientes decidieron ir al norte y pedir apoyo militar y económico a Estados Unidos. Nunca pudieron concretar el proyecto, pues fueron tomados prisioneros en Acatita de Baján (hoy Baján, Coahuila), enjuiciados —a Hidalgo se le hizo un juicio eclesiástico por ser sacerdote— y condenados a muerte. Allende, Aldama y otro levantado, llamado Mariano Jiménez, fueron fusilados el 26 de junio y, un mes más tarde, Hidalgo. El virrey ordenó que las cabezas de los cuatro fusilados fueran puestas en jaulas y colgadas en cada una de las esquinas de la Alhóndiga de Granaditas como muestra a la población de lo que podían esperar todos aquellos que se levantaran en su contra.

José María Morelos.

El movimiento de Morelos (1811 - 1815)

Muerto Hidalgo, otro sacerdote se encargó de encabezar el movimiento. José María Morelos y Pavón era un mestizo de origen humilde que tomó la carrera del sacerdocio cuando tenía más de 30 años de edad y que, al igual que Hidalgo, también conocía muy bien las injusticias y atraso que sufría el pueblo. Lo interesante de la figura de Morelos es que, a diferencia del anterior, desde 1814 quería crear una nueva patria en la que los americanos, sin importar su origen, fueran los que la gobernaran. La ironía es que Hidalgo es llamado el "padre de la patria", título que, en justicia, debería corresponder a Morelos.

Morelos fue un gran estratega militar, hecho que ha sido utilizado por los historiadores para agrupar sus acciones bélicas en campañas. La primera fue de 1810 a 1811, la segunda de 1811 a 1812, la tercera de 1812 a 1813 y la última de 1813 a 1815. Las tres primeras marcaron la etapa exitosa de Morelos, mientras que la cuarta fue la de la derrota.

En su campaña inicial, Morelos actuó en el sur del país, en lo que actualmente se conoce corno el estado de Guerrero. Éste fue el momento en el que el caudillo insurgente —como se les llamaba a los levantados en armas desde 1811— organizó un ejército pequeño, ordenado (para evitar los desmanes tan característicos de la tropa de Hidalgo) y dirigido por oficiales de su entera confianza, como los hermanos Bravo y Galeana.

La segunda campaña militar se caracterizó por la hegemonía política y militar que el ejército de Morelos mantenía en el centro y sur de Nueva España. De esta época es el sitio de Cuautla. En febrero de 1812, el coronel Calleja tomó la decisión de poner un cerco militar alrededor de la ciudad de Cuautla porque Morelos y los suyos se encontraban ahí. La idea del realista —como se les llamaba a los que peleaban contra los insurgentes— era la de obligar al jefe insurgente a rendirse una vez que se acabaran sus alimentos; no obstante ello, Morelos no se rindió y, cumplidos los setenta días del sitio, rompió el cerco cuando el ejército español no lo esperaba y logró escapar con la mayoría de sus hombres. Conforme esta historia se fue difundiendo por el Virreinato, la popularidad de Morelos se incrementó hasta alcanzar dimensiones míticas.

La tercera campaña fue importante por varias razones. En principio, una parte considerable del sureste de Nueva España quedó bajo el control de los insurgentes, mientras que Calleja era nombrado virrey para que aprehendiera a Morelos y acabara de una vez por todas con su movimiento. Pero también fue la época en la que escribió Sentimientos de la Nación (1813), un texto breve en el que expresaba sus pensamientos políticos. Establecía que la América del Septentrión —como llamaba a Nueva España— era libre de España, que aquellos que fueran nativos de estas tierras tendrían los mismos derechos y que, sólo ellos, podrían aspirar a tener los cargos políticos. Para dar más fuerza a este escrito, creó un Congreso en la población de Chilpancingo que se encargó de proclamar la independencia de Nueva España. Por primera vez se hablaba de la "independencia".

La última etapa fue de contrastes, pues mientras que los insurgentes tuvieron avances políticos como la proclamación de la Constitución de Apatzingán, primer documento que daba a la "nueva nación" un sistema de gobierno con división de poderes y soberanía popular, padecieron derrota tras derrota en el ámbito militar. Varios

55

factores favorecieron esta situación. Calleja inició una persecución sistemática contra Morelos, sus seguidores y el Congreso; mientras que los dos primeros tenían problemas respecto a la cuestión del mando militar, problemas que culminaron cuando el organismo le quitó la autoridad al "Siervo de la Nación" —como también se conocía a Morelos—. Es indudable que el factor suerte fue importante ya que si entre 1811 y 1813 había estado del lado insurgente, a partir de 1814 les fue adversa. En 1815, cuando el Congreso huía de Calleja, sus miembros, incluido Morelos, fueron aprehendidos y, tras haber sido enjuiciados, se les condenó a muerte Morelos fue fusilado en San Cristóbal Ecatepec, cerca de la ciudad de México, el 22 de diciembre de 1814.

La época sin liderazgo (1815 -1820)

Tras la muerte de Morelos, no había un insurgente lo suficientemente fuerte como para convertirse en el jefe del movimiento. Hombres como Guadalupe Victoria, Vicente Guerrero, Ignacio López Rayón, Pedro Moreno y el padre Torres eran líderes cuya fuerza sólo era local y que, por rencillas entre ellos, tampoco querían asumir un compromiso tan grande. Como cabe esperar, esta situación benefició a los realistas, quienes recuperaron el territorio perdido y dejaron a los diversos cabecillas insurgentes aislados en pequeñas "islas".

La situación se vio momentáneamente afectada en 1817 cuando un joven peninsular desembarcó en Nueva España con la voluntad de independizarla. Se trataba de Martín Javier Mina, un liberal español que durante la invasión napoleónica peleó contra los franceses con tal garra que a los 19 años de edad ya era considerado un héroe. En 1810 fue hecho prisionero por los franceses y cuatro años después fue liberado, días antes de que Fernando VII retornara a gobernar su patria y que los franceses comenzaran su desocupación. Como liberal que era, estuvo de acuerdo con que la Junta Central de Cádiz proclamara una Constitución en 1812 que limitara el poder de los reyes de España y le diera la soberanía al pueblo. Cuando Fernando VII regresó a su patria, juró la Constitución, pero a los dos meses la abolió por convenir a sus intereses, e inició una campaña contra los liberales por haber sido sus promotores.

Sin importar sus patrióticos antecedentes, Mina fue perseguido y sólo pudo librarse de pisar la cárcel al salir de España en 1815. Se refugió en Inglaterra y entró en contacto con algunos insurgentes novohispanos exiliados, quienes le convencieron de ir a pelear a favor de la independencia del Virreinato.

La expedición salió de Inglaterra a finales de 1816 y llegó a tierras novohispanas en 1817. En realidad, poco fue lo que pudo hacer pues tardó días en encontrar grupos insurgentes que quisieran auxiliarle, tenía pocas armas y soldados y estaba siendo perseguido por los realistas. Sus intenciones eran simples: ir a la ciudad de Guanajuato y de ahí marchar rumbo a la de México, tomarla y proclamar la independencia. A pesar de esto, nada de ello pudo realizar pues cuando estaba cerca de la ciudad de Guanajuato fue hecho prisionero ese mismo año. El virrey, entonces Juan Ruiz de Apodaca, conocía muy bien la fama de patriota que tenía Mina y antes de que éste atrajera a su bando a los soldados realistas, dio la orden de que se le fusilara sin juicio el 11 de noviembre de 1817 en el cerro del Sombrerete.

La importancia de este hombre, que en realidad poco pudo hacer, radica en su ejemplo. Cuando se hizo pública su llegada, muchos novohispanos que por temor o apatía habían dejado la causa insurgente se sintieron afectados. ¿Cómo era posible que un peninsular viniera a pelear por su causa? Mina reavivó, aunque fuera de manera modesta, la causa independentista y de ahí el éxito de la incursión.

Los dos años que siguieron a la muerte de Mina transcurrieron sin mayores cambios. Cierto es que surgieron más grupos insurgentes, pero éstos poseían un carácter demasiado local y ninguno pudo constituirse en un movimiento amplio y unificador. Esta historia, sin embargo, cambió a partir de 1820, una vez más, como consecuencia de lo sucedido en España.

El movimiento de Iturbide y la consumación de la Independencia (1820 - 1821)

El 1.° de enero de 1820 el coronel Rafael de Riego y las tropas a su mando se levantaron en armas contra el rey Fernando VII en España.

Desde 1815 grupos de militares, comerciantes, nobles, intelectuales, sacerdotes, etcétera, todos ellos liberales, habían conspirado contra el rey por ser un gobernante absolutista; no obstante, ninguna de estas conjuras se concretó. La situación de Riego era diferente. Él era liberal, estaba de acuerdo con las independencias americanas pues consideraba que éstas ya no se podían detener y, además, se encontraba en Cádiz a punto de ser enviado a pelear en el Virreinato del Río de la Plata, Argentina, contra los insurgentes. Fue en este contexto que el coronel tomó la decisión de organizar un levantamiento armado de tipo constitucionalista que acabara con la monarquía absoluta en España y, de paso, evitara su viaje a América. Cuando las noticias del movimiento de Riego se difundieron por toda la península ibérica, otros liberales siguieron el ejemplo y tomaron las armas a favor de la instauración de la Constitución de 1812. Fernando VII no dio importancia a estos hechos en un inicio, pero cuando la guarnición de Madrid se declaró en rebeldía en marzo, se dio por vencido y, en el mismo mes, juró por segunda vez dicha Constitución. Lo anterior significó que el rey tenía que compartir el poder con el bando ganador, es decir, los liberales.

Cuando las noticias de lo sucedido en España llegaron en julio a la Nueva España, parte de la élite se mostró satisfecha pues veían en todo ello un gran avance. Los criollos creyeron que el nuevo gobierno liberal iba a hacer cambios sustanciales que fueran benéficos para ellos; algunos peninsulares consideraban que al acabarse la monarquía absoluta las cosas mejorarían en materia política. Sin embargo, todas estas expectativas no fueron cumplidas en lo absoluto. El gobierno español se mostró con los criollos de la misma forma que en tiempos del absolutismo, pues siguió ignorando sus demandas políticas; a los peninsulares tampoco les fue bien, pues las nuevas autoridades suprimieron los fueros militares —derecho de los miembros del ejército a ser juzgados por sus propios tribunales— y quitó las pruebas de hidalguía —nobleza— para todos aquellos que quisieran ocupar cargos públicos. El clero tampoco salió ileso pues fue expulsada, por segunda vez, la Compañía de Jesús y se planeó la implementación de una política secularizadora de los bienes de la Iglesia tanto en España como en América.

Criollos y peninsulares, laicos y clérigos, ciudadanos y funcionarios vieron cómo la Constitución afectaba sus intereses sin que tuvieran los elementos para poderse defender. Fue entonces cuando llegaron a un acuerdo: era tiempo de unirse para luchar por la independencia. Se reunieron en la iglesia de La Profesa, ubicada en la ciudad de México, y acordaron que para la consecución de sus planes debían unificar al movimiento insurgente, labor delicada que debía ser encomendada a una persona capaz e inteligente. Los congregantes decidieron que sólo había una persona que reunía esas virtudes: Agustín de Iturbide. Se trataba de un criollo que desde el inicio del conflicto había peleado con gran éxito a favor de la Corona española. Los insurgentes lo conocían muy bien pues era famoso por no tener consideración alguna con ellos. Cuando le hicieron el ofrecimiento de unificar a la insurgencia y consumar la independencia aceptó de inmediato.

Iturbide sabía que el primer paso que debía dar era unirse con un insurgente importante y que fuera famoso entre aquellos que habían peleado por la independencia. Escogió a Vicente Guerrero, pues se trataba de un mulato que desde tiempos de Morelos había combatido en la insurgencia en lo que actualmente es el estado que lleva su apellido. Iturbide fue a la tierra del líder insurgente para entrevistarse con él y atraerlo a su causa. El criollo convenció a Guerrero de que el único camino para consumar la independencia era el de la unión entre ambos. Esta cohesión se hizo oficial cuando ambos caudillos y sus tropas se reunieron en el poblado de Acatempan. Ahí Guerrero e Iturbide se dieron un abrazo y firmaron el Plan de Iguala, documento en el que se establecían los principios básicos del gobierno del Imperio mexicano. Un dato importante del mismo era que se iba a ofrecer la Corona al rey de España o, en caso de que no pudiera, a alguno de sus familiares.

Parecería ser que se trataba de una contradicción, pero Iturbide no lo veía así, pues lo que deseaba era una separación de España que permitiera a los criollos tener el poder.

A partir de este momento, Iturbide llevó a cabo una campaña dual. De día utilizaba las armas contra aquellos que se le oponían y, por la noche, escribía cartas a militares, religiosos y políticos importantes para que se unieran a su causa. A fines de 1820 e inicios de 1821 era un hecho que la segunda política había sido más efectiva, pues obispos y militares tan importantes como Antonio López de Santa Anna, Anastasio Bustamante y Manuel Gómez Pedraza, todos ellos realistas consumados, se habían pasado a su bando. Iturbide, en un acto audaz, invitó al virrey a que se le uniera, pero éste declinó el ofrecimiento por ser adicto a la Corona.

Cuando Iturbide ya controlaba todo el Virreinato, a excepción de las ciudades de México y Veracruz, desembarcó en Nueva España el nuevo virrey. Se trataba de Juan de O'Donojú, un liberal que simpatizaba con la causa independentista y que, como militar, sabía que todo estaba perdido para España. Ello explica por qué cuando Iturbide le solicitó una entrevista se la concedió.

En agosto de 1821 ambos personajes se encontraron en la ciudad de Córdoba, Veracruz, y O'Donojú aceptó firmar los Tratados que llevan el nombre de este lugar. Estos documentos son una ratificación del Plan de Iguala a excepción de un punto: se especificaba que si el rey de España no venía o no enviaba a algún familiar para que ocupase el trono, los mexicanos escogerían a su emperador.

Tras haber firmado los Tratados de Córdoba, los insurgentes se dirigieron a la ciudad de México. Por la fuerza y el tamaño del ejército enemigo, las tropas realistas que defendían la capital no opusieron resistencia. El 27 de septiembre de 1821 a las 11 de la mañana, entraban los insurgentes a la ciudad de México y consumaban así la independencia del país.

Capítulo 4

Del primer Imperio a la Guerra contra Estados Unidos (1821-1848)

El primer Imperio (1821-1823)

El arribo de los insurgentes a la ciudad de México fue motivo de regocijo, pues para muchos implicaba el fin de una larga lucha. Pese a ello, había una minoría que se preocupaba pues consideraba que esto sólo marcaba el inicio de un proceso más delicado e igualmente importante: la construcción de un país.

La primera medida que se tomó fue crear una Junta Provisional de Gobierno que, como su nombre lo indica, se encargaría de gobernar hasta que hubiera un emperador. Acto seguido, se mandó una carta a Fernando VII en la que se le invitaba a él o uno de sus familiares a que aceptara el trono del Imperio mexicano.

Escaso tiempo pasó, cuestión de días, para que las diferencias ideológicas entre los mexicanos estallaran y muestra de ello fue el Congreso que se formó para que detentara el poder legislativo. En su interior se podían encontrar tres tendencias: monárquicos, republicanos y borbonistas. Los primeros apoyaban la monarquía moderada que se había plasmado en el Plan de Iguala y los Tratados de Córdoba, y no les desagradaba la idea de que el propio Iturbide terminara coronándose emperador del país. Los republicanos, en su mayoría insurgentes que habían peleado por la causa desde 1811 y 1812, temían que el imperio terminara convirtiéndose en un gobierno absolutista controlado por Iturbide; su propuesta era copiar el

El primer emperador
de México, Agustín
de Iturbide.

patrón de gobierno de Estados Unidos, país al que veían como modelo a seguir. Los borbonistas se encontraban a la mitad, pues estaban dispuestos a apoyar cualquiera de estas opciones dependiendo de quien fuera el monarca; aclaraban que, si no venía a gobernar estas tierras un rey de la casa Borbón, preferían un gobierno republicano.

La situación empeoró cuando llegó la respuesta del rey de España: ni él ni ninguno de sus familiares ocuparían el trono mexicano, en cuanto a que no reconocían la independencia de Nueva España. Aunque hubo quienes desde tiempo atrás habían dicho que esa iba a ser la respuesta, la noticia cayó como balde de agua fría en México pues alteraba los planes que se tenían. En cambio, quienes más se regocijaron por la nueva fueron los iturbidistas, pues imaginaban a su líder como máximo gobernante del país. En la noche del 18 de mayo de 1822 los acontecimientos se precipitaron. Un grupo de soldados salió por las calles de la capital — hay quienes aseguraron que azuzados por el propio Iturbide— gritando: "¡Viva Agustín I, emperador de México!" A esta proclama se le unió el pueblo y, por la mañana, el ejército. Ante esta presión tan fuerte, el

Congreso declaró emperador a Iturbide sin haber terminado aún la Constitución que debía regir al Imperio.

A partir de este momento las relaciones entre Iturbide y el Congreso se hicieron tirantes. En principio, a los miembros del poder legislativo les irritó que se hubiera ejercido tanta presión respecto a la coronación; pero también esta situación alteraba su funcionamiento pues ahora debían debatir sobre los títulos nobiliarios, la corte del emperador, y dejar la Constitución en un plano secundario. El motivo de mayor tensión entre ambos poderes fue la cuestión presupuestal, pues después de haber calculado que la recaudación fiscal en 1822 iba a ser de 11 millones de pesos, insuficiente para el funcionamiento óptimo del gobierno, el emperador quiso que 10 millones se destinaran al ejército, su fiel soporte. Como no existía una Carta Magna que especificara los derechos de cada poder, la controversia no pudo zanjarse hasta que Iturbide, de manera arbitraria, se atribuyó el poder de vetar las decisiones del Congreso.

Estas disputas le restaron seguidores en el Congreso al emperador y, como consecuencia, las ideas republicanas comenzaron a fortalecerse en medio de conspiraciones cuya meta era deponer al emperador. A más de un año de la consumación de la independencia, Iturbide no podía gobernar su imperio, pues tenía que descubrir conspiraciones y encarcelar diputados subversivos. La única opción de gobernabilidad que encontró fue la disolución del Congreso y su sustitución por una Junta de Notables formada por los pocos amigos que le restaban.

El contexto político estaba tan candente que el ejército consideró que debía intervenir para ponerle fin. Como Iturbide ya no les era de utilidad, en diciembre de 1822 organizaron un levantamiento armado encabezado por Antonio López de Santa Anna. Los levantados firmaron el Plan de Veracruz, en el que repudiaban a Iturbide y proponían la república como forma de gobierno. A este levantamiento se unieron antiguos insurgentes de prestigio como Vicente Guerrero, Guadalupe Victoria y Nicolás Bravo. A inicios de 1823 el emperador, que inicialmente no le había dado importancia al movimiento, ante los hechos consumados, abdicó y se exilió con su familia en Italia. Posteriormente Iturbide volvió a México intentando recuperar el poder, pero fue apresado y fusilado en Padilla, Tamaulipas, en 1824.

La primera República Federal (1823 - 1835)

La salida del emperador significó el triunfo del movimiento republicano. Los vencedores decidieron crear un gobierno provisional mientras que el Congreso se reunía y daba al país una Constitución. Este supremo poder ejecutivo fue conocido como triunvirato por estar constituido por tres miembros: Nicolás Bravo, Guadalupe Victoria y Pedro Celestino Negrete —este último sería el único presidente del país nacido en España—.

En el interior del Congreso las disputas giraban en torno al tipo de república que iba a ser México. Los antiguos monárquicos apostaban por una república central, es decir, por la creación de un gobierno que les restara autonomía a los estados y les ordenara qué hacer; los republicanos de origen proponían el federalismo, forma de gobierno en la que los estados tenían la posibilidad de tomar ciertas decisiones sin necesidad de consultar o tener la aprobación del centro. Ambas corrientes tenían sus ventajas y desventajas. Durante el Virreinato, México había sido gobernado de manera centralista, por lo que esta forma de controlar al país no era nueva y era acorde con el pasado nacional; claro está que la desventaja era el enojo que se generaba en los estados por su falta de autonomía. El federalismo tenía la virtud de darles, mayor independencia a las autoridades locales en un país con una extensión de más de 4 millones de km^2 (más del doble de lo que hoy en día es México) caracterizado por grandes distancias; ciertamente que el problema radicaba en que este tipo de republicanismo podía debilitar la unidad del país. El debate al respecto quedó zanjado, no porque los diputados de un bando convencieran a los del otro, sino por la presión ejercida por los estados de Oaxaca, Jalisco, Yucatán y Zacatecas, que amenazaban con independizarse de México si se adoptaba el centralismo. Esta amenaza fue suficiente para que el Congreso decidiera que México iba a ser una república federalista.

Definida la forma de gobierno, el poder legislativo, procedió a dar a la nación una Constitución, que fue promulgada el 4 de octubre de 1824. A diferencia de la Carta Magna que rige en la actualidad al país, en la Constitución de 1824 tenía un gran peso la organización político-administrativa de la nación, mientras que la cuestión del reconocimiento y respeto de los derechos de los mexicanos quedaba en un plano secundario; lo que es evidencia de las verdaderas preocupaciones que tenían los políticos mexicanos de la época.

A continuación, el Congreso convocó a elecciones para escoger al primer presidente que tendría México. Cabe destacar que entonces las elecciones no eran universales (como en la actualidad), pues los únicos que votaban eran los diputados, es decir, los miembros del Congreso. El ganador de los comicios fue Guadalupe Victoria —cuyo verdadero nombre era José Ramón Fernández y Félix—.

Victoria se caracterizó, desde los tiempos de la independencia, por ser un hombre ecuánime que deseaba, en la medida de lo posible, conciliar para unificar. Durante su presidencia ello no fue la excepción. Conocedor de que la clase política mexicana se estaba dividiendo, intentó, por lo menos en un principio, mostrar que iba a gobernar para todos y no sólo para los federalistas; prueba de ello fue su gabinete que estaba conformado por federalistas y centralistas moderados. Gracias a esta política, su presidencia fue una de las más estables de la primera mitad del siglo XIX.

Fueron varios los logros destacados de esta gestión. Consiguió en 1825 que Estados Unidos e Inglaterra reconocieran la independencia y establecieran relaciones diplomáticas y comerciales con México. También se crearon: el Distrito Federal, el estado de Tlaxcala, la primera Junta de Instrucción Pública en la historia de este país y la Suprema Corte de Justicia; además, se asentaron las bases para la futura creación de un museo nacional de historia.

Sería muy aventurado afirmar que el mandato de Victoria fue perfecto, ya que su gestión generó ciertos problemas. Ésta era la época de las logias masónicas, que en realidad funcionaban como los partidos políticos de la actualidad. Los centralistas se agrupaban en la Logia Escocesa, ligada, además, a un profundo sentimiento hispanista. Ello molestaba a los federalistas, incluido Victoria, quienes con la ayuda del embajador norteamericano Joel R. Poinsett crearon la Logia Yorkina que, además de tener una tendencia federalista, adoptó una postura anti-hispanista para rivalizar con los escoceses. Pues bien, Victoria terminó por caer en este juego de las logias y para debilitar a sus rivales políticos emitió, en 1827, el Decreto de Expulsión de los Españoles. Mucho se hablaba de que los españoles en México estaban conspirando para que Fernando VII recuperara el control de estas tierras y hasta se hizo público el descubrimiento de que un sacerdote —fray Juan de Arenas— era la cabecilla de una de tales conjuras. Aunque el decreto no se aplicó cabalmente en todo el país, sí generó perjuicios a la nación pues los europeos que se vieron obligados a salir; vendieron todas sus propiedades y se llevaron con ellos su dinero, dando por consecuencia que se iniciara un fuerte proceso de descapitalización que afectó mucho a la debilitada economía mexicana.

Después de cuatro años de gobierno, el Congreso convocó a elecciones, en 1828, para escoger a un nuevo presidente. Fueron diez los candidatos que se postularon, todos federalistas y militares consagrados, pero eran sólo dos los que tenían más posibilidades: Manuel Gómez Pedraza y Vicente Guerrero. Por su formación y origen étnico (criollo), los diputados escogieron como presidente al primero, pero antes de que pudiera tomar posesión del cargo, Guerrero, con el apoyo de Santa Anna, amenazó con que si no se le nombraba presidente de México iba a levantarse en armas. Los miembros del Congreso, al ver que el ejército daba su apoyo al caudillo insurgente, le quitaron el nombramiento a Gómez Pedraza para dárselo a Guerrero.

El gobierno de Vicente Guerrero se caracterizó por ser muy accidentado, como consecuencia de la falta de habilidad política del presidente, y por la animadversión que ciertos estratos sociales sentían hacia él. En su afán por tener un gabinete conciliador, quiso reunir en él a centralistas y federalistas, pero eran tan diferentes las tendencias existentes en su interior que el gabinete se transformó en un obstáculo para gobernar. La clase alta del país, que controlaba los medios impresos más importantes, no aceptaba que un mulato, inculto y políticamente ilegítimo les gobernara, en una muestra fehaciente de que los prejuicios sociales no habían desaparecido con la independencia.

Las críticas que se vertían en contra del presidente hicieron que éste actuara con mayor impulsividad y cavara más rápidamente su tumba. En 1828 emitió el Decreto de abolición de la esclavitud sin tomar en cuenta que los colonos texanos, caracterizados por su espíritu levantisco, tenían como única mano de obra a los esclavos y fue tal su descontento que amenazaron con la independencia. Guerrero tuvo que dar marcha atrás. Al año siguiente, a pesar de conocer las consecuencias económicas que habría, emitió el Segundo Decreto de Expulsión de los Españoles en un infructuoso intento por subir sus "bonos" políticos.

Un hecho loable de la presidencia de Vicente Guerrero fue que, en 1829, afrontó honrosamente la invasión de Barradas, un general español que desembarcó con tres mil soldados españoles procedentes de Cuba en el puerto de Tampico para intentar reconquistar Nueva España. Guerrero no perdió el tiempo y organizó la defensa del territorio nacional en lo que se puede considerar como un éxito contundente de las armas nacionales, ya que obligó a reembarcarse a los invasores después de ser derrotados.

El descontento entre civiles y militares contra Guerrero era tan grande que el triunfo anterior fue minimizado y, en cambio, estalló en 1829 un levantamiento militar centralista, organizado por Santa Anna, que exigía su renuncia —por la violación continua de las leyes, el incumplimiento en el pago de los salarios de los militares, y por la anarquía que imperaba en el país— y que el general Anastasio Bustamante, hasta ese momento vicepresidente, quedara en su lugar. Guerrero no aceptó y decidió luchar contra sus opositores en la que fue la primera guerra civil que padeció este país. El conflicto terminó en 1831 cuando Guerrero fue traicionado en el puerto de Acapulco y fusilado en Cuilapan.

Bustamante fungió como presidente de México de 1831 a 1832. Quienes lo llevaron al poder le expresaron que su función sería la de ordenar al país sin importar los medios que utilizara y, obediente, se prestó a cumplir las órdenes de la única manera que sabía hacerlo. Por medio del rigor y el derramamiento de la sangre, Bustamante se encargó de pacificar la nación eliminando a sus opositores federalistas.

Dentro el ejército había militares que estaban a disgusto con Bustamante pues consideraban que estaban más capacitados que él para gobernar. Uno de ellos era Antonio López de Santa Anna, quien creía firmemente que el presidente no lo había premiado lo suficiente por haberlo ayudado a llegar al poder. Junto a otros militares destacados, organizó un levantamiento en el que exigieron el reconocimiento de Manuel Gómez Pedraza como presidente legítimo de México. ¿Por qué demandaba ahora que ocupara la presidencia aquel hombre contra el que se había levantado años atrás? Santa Anna consideraba que había llegado su momento para ser presidente, pero quería ocupar el cargo como producto de un triunfo electoral y no de uno armado; en ese sentido Gómez Pedraza se convertía en un instrumento para llegar al poder. El levantamiento fue secundado en todo el país y ello fue suficiente para que Bustamante renunciara.

Gómez Pedraza fue presidente de México por, tres meses, el tiempo que faltaba para culminar el periodo presidencial que debió haber encabezado desde un principio. En los inicios de 1833 el Congreso convocó a elecciones y, como era de esperarse, tuvo un triunfo contundente Santa Anna, quien escogió como su vicepresidente a Valentín Gómez Farías, fervoroso partidario del Partido del Progreso.

Esta agrupación se fundó a inicios de la década de los treinta para ofrecer una propuesta política diferente a la de los escoceses y yorkinos. Inspirados por las ideas ilustradas, José María Luis Mora y Luis de la Rosa fundaron, el Partido del Progreso para transformar radicalmente al país y permitir, como su nombre lo indicaba, su progreso futuro a través de la aplicación de una serie de principios que a continuación se mencionan: dar libertad absoluta de opinión y de imprenta, la abolición de los fueros militares y religiosos, la supresión de los monasterios, quitarle al clero los negocios civiles —como el matrimonio, las defunciones—, la creación de más propietarios de tierras para favorecer la circulación de la riqueza, quitarle a la iglesia el monopolio de la educación y crear más bibliotecas públicas y museos para educar a la población.

La primera decisión que tomó Santa Anna una vez que fue proclamado presidente de México fue tomarse unas vacaciones en su hacienda veracruzana Manga de Clavo y dejar el poder, como la ley indicaba, a Gómez Farías. Como fiel seguidor que era del Partido del Progreso, el vicepresidente consideró que había llegado el momento de generar la transformación total del país y, para ello, emitió en 1833 una serie de medidas progresistas que, entre otras cosas, proponían el pago voluntario del diezmo, el ejercicio voluntario de los votos eclesiásticos (castidad, obediencia y pobreza), el cierre de la Universidad Pontificia de México y la creación de la Dirección de Instrucción Pública. El objetivo de estas disposiciones era claro pues trataban de debilitar a la Iglesia, a la que culpaba de todos los males y del atraso que padecía México.

Antonio López de
Santa Anna.

Estas disposiciones resultaron ser demasiado progresistas para un pueblo que no estaba preparado para ellas y que tampoco las deseaba. La ciudad de México fue el escenario de un motín de dimensiones considerables que contó con la colaboración del clero, el ejército y el pueblo. Frente a tan grave situación, Gómez Farías envió una carta a Santa Anna pidiéndole su retorno para que restableciera el orden. A los pocos días, el general retornaba a la capital, suprimía estas disposiciones y, para calmar los ánimos aún exaltados, decretaba la expulsión del país de Valentín Gómez Farías.

Las medidas anteriores no ayudaron a restituir el orden pues los centralistas, que vieron la oportunidad para derrocar al régimen federalista, comenzaron a incitar al pueblo a que se levantara contra el régimen, pues le imputaban la culpabilidad de todos los problemas de la nación. Frente al éxito que tuvieron estos llamados, el Congreso determinó en 1835 que había llegado el momento de hacer la transición hacia el centralismo. El poder legislativo se convirtió en Congreso constituyente, pues el régimen centralista debía tener una Constitución de la misma naturaleza.

La República Centralista (1835 - 1846) y la independencia de Texas

Mientras se llevaban a cabo los debates en el Congreso, estalló un grave problema en el norte del país: la independencia de Texas.

Una de las mayores problemáticas que había tenido Texas en tiempos virreinales era su despoblamiento. Para que esta tierra pudiera ser explotada, la Corona española había fomentado el establecimiento de colonos extranjeros. Aunque una de las condiciones era la de ser católicos, la mayoría de los individuos que se establecieron eran sajones protestantes (hoy en día se diría estadounidenses) que, con tal de recibir tierras, aseguraban ser católicos. Con la independencia, el gobierno mexicano siguió con esta política de poblamiento, mientras que el gobierno norteamericano comenzó a financiar el establecimiento de colonos adictos a él.

Los problemas con esta situación eran varios pues, en principio, ninguna autoridad mexicana supervisaba este proceso de colonización y, en consecuencia, no se tenía control del mismo. Por otro lado, los gobiernos mexicanos no mostraron interés alguno por Texas, ya que quedaba muy lejos de la capital del país; ello les permitió a los texanos disponer de una autonomía a la que velozmente se acostumbraron, y que les permitió hablar sobre una hipotética independencia.

Tras varias advertencias, en marzo de 1836 los colonos se levantaron en armas contra México y se constituyeron en una república, con Sam Houston como presidente. Santa Anna decidió castigar a los levantados y para ello improvisó un ejército en San Luis Potosí, mal armado y sin las provisiones necesarias, al que hizo caminar a marchas forzadas por todo el territorio nacional hasta llegar a Texas. Ahí se enfrentó en varias batallas al enemigo, siendo la más famosa la de "El Álamo", fortín en San Antonio, pues por órdenes de Santa Anna los soldados mexicanos pasaron por las armas a todos los sobrevivientes que encontraron.

Cuando parecía que los mexicanos iban a ganar la guerra, su ejército fue sorprendido en un ataque sorpresa, Santa Anna fue aprehendido y obligado a firmar los Tratados de Velasco por los que, sin tener la autoridad para ello, concedía la independencia a Texas. A su regreso a México, el general mexicano fue repudiado y tildado de traidor, en una situación que los centralistas supieron aprovechar para darles más fuerza a sus argumentos contra el federalismo.

Por esta época, ya muerto el rey Fernando VII, España reconoció por fin la independencia de México, firmándose el tratado en Madrid.

El 30 de diciembre de 1836 el Congreso promulgó Las Siete Leyes (conocidas también como Constitución de 1836). Este documento hacía referencia al Supremo Poder Conservador, un organismo creado para supervisar a los otros tres poderes políticos (ejecutivo, legislativo y judicial) y limitaba los derechos de los estados de la república.

Fue en 1837 cuando el Congreso nombró como presidente a Anastasio Bustamante, pues muchos de sus miembros guardaban un buen recuerdo de él y seguían creyendo que era el único que podría ordenar al país. Pero Bustamante era un hombre diferente y, en vez de gobernar con mano dura, decidió conciliar con centralistas, federalistas y progresistas, para evitar así que otro golpe de estado lo depusiera.

Este cambio de actitud del presidente poco sirvió, pues los federalistas, que querían retornar al poder, comenzaron a organizar sistemáticamente levantamientos en el centro y norte del país. A ello habría que sumar otras calamidades como temblores, inundaciones y plagas que se dieron por todo el territorio nacional.

En 1838, cuando la situación era crítica, Bustamante tuvo que afrontar un conflicto de orden internacional, pues barcos franceses llegaron al puerto de Veracruz y comenzaron a atacarlo. Los motivos de esta agresión se remontan a 1830, cuando el gobierno francés reconoció la independencia de México y le dio un préstamo a cambio de recibir el trato de "nación más favorecida en el comercio", lo que implicaba que los franceses recibirían privilegios comerciales que ningún otro país tendría. El gobierno de México nunca cumplió con esta parte del compromiso y, en cambio, afectó los intereses económicos de los franceses pues, además de aplicar una política de préstamos forzosos contra los ciudadanos franceses radicados en México, los continuos levantamientos y revoluciones tendían a destruir sus negocios, casas y otras propiedades.

En 1837, los ciudadanos franceses se quejaron de esta situación con su embajador, quien exigió al gobierno el pago de una abundante compensación para subsanar las pérdidas de sus compatriotas en el país. El gobierno mexicano se negó, y con ello dio motivos para que los franceses enviaran sus barcos y soldados a Veracruz en lo que se conoce como la primera Intervención francesa.

Cuando Santa Anna se enteró en su hacienda del ataque que padecía el puerto de Veracruz, decidió actuar sin que las autoridades políticas y militares de México se lo pidiesen. Hizo acto de presencia en el puerto e intentó negociar con los europeos, sin llegar a un arreglo satisfactorio para ambas partes. Los cañonazos contra Veracruz se incrementaron y los franceses procedieron al desembarco. Cuando Santa Anna intentó detener a los invasores, una bala de cañón le destrozó la pierna izquierda que, en consecuencia, tuvo que amputársele. Este hecho marcó el fin de la guerra, pues en 1839 los mexicanos tuvieron que comenzar las pláticas de paz. El gobierno nacional se comprometía a pagar las indemnizaciones exigidas y el préstamo dado por Francia en 1830. Quien más provecho sacó de este conflicto fue el propio general Santa Anna, pues dejó de ser el traidor de la guerra de Texas y se transformó en el héroe de la guerra contra Francia, ya que estuvo dispuesto a sacrificar su integridad corporal por mantener la integridad del país.

Al mes de haber concluido la intervención francesa, el presidente Bustamante vio cómo el estado de Yucatán proclamaba, por primera vez, su independencia de México. Los motivos que esgrimieron para justificar tal acción fueron que, con la llegada del centralismo, ese estado había perdido privilegios económicos que siempre había tenido por tratarse de una de las regiones más pobres del país. En primera instancia, el gobierno intentó negociar para solucionar el conflicto pero, al no lograrlo, optó por usar la fuerza al iniciar un ataque terrestre y bloquear todos los puertos de la península. La medida fracasó y sólo tras otra ronda de negociaciones Yucatán se reincorporaría a México en 1843.

Esta situación no podía durar mucho más. El país estaba inmerso en una circunstancia tan caótica como nunca antes se había visto, pues las rencillas internas aumentaban y, mientras, el territorio se disgregaba sin que las autoridades pudieran evitarlo. En 1841 estalló en Guadalajara un levantamiento militar contrario a Bustamante y la Constitución de 1836. El presidente no quiso ser, por segunda vez, factor de discordia y, al enterarse de este movimiento, se exilió.

Los levantados proclamaron a Santa Anna como presidente de México y éste invitó, en 1842, al Congreso para que diera a la nación una nueva Constitución. Éstos fueron tiempos que se caracterizaron por la manera de gobernar del caudillo veracruzano, al margen de la ley. Deseaba suprimir la autonomía del Congreso, se ausentó varias veces de la capital sin la autorización de éste y mandó encarcelar a aquellos gobernadores que se negaron a hacer lo que les pedía.

Esta dictadura no podía llegar a buen fin. En 1844 estalló otro levantamiento armado en Guadalajara que desterró a Santa Anna y llevó a la presidencia al general José Joaquín Herrera, quien poco pudo gobernar por la amenaza de una guerra con Estados Unidos —país que no disimulaba su deseo de anexarse territorio mexicano— y los constantes levantamientos federalistas.

La segunda República Federal (1845 - 1848) y la Guerra con los Estados Unidos

Otro levantamiento militar estalló en 1845 y culminó al siguiente año, cuando el Congreso reconoció como presidente al general Mariano Paredes. Preparó al país para afrontar la Guerra contra Estados Unidos, conflicto que consideraba ineludible. Sus esfuerzos fueron poco útiles, pues al momento en que estalló el conflicto bélico, Yucatán se independizó por segunda vez y un levantamiento federalista le derrocó y puso en su lugar nuevamente a Santa Anna, quien a su vez escogió a Valentín Gómez Farías como su vicepresidente.

Desde la década de los cuarenta del siglo XIX la política del gobierno americano fue de expansión territorial, y en ella México tenía un papel importante. En 1845, las autoridades americanas mandaron enviados a México para ver si el gobierno estaba dispuesto a vender la Alta California y Nuevo México por 20 millones de dólares (o de pesos, pues entonces ambas monedas tenían la misma cotización). La inestabilidad reinante en el país impidió que estos comisionados pudieran hacer el ofrecimiento al gobierno, por lo que regresaron a su país con las manos vacías. El entonces presidente de los Estados Unidos, James K. Polk, comprendió que sería más fácil adquirir dichos territorios por una guerra que intentar comprarlos.

En mayo de 1846 un grupo de soldados norteamericanos penetró a México sin permiso, y cuando se toparon con tropas nacionales se inició un pequeño combate en el que nadie resultó muerto. Era claro que se trataba de una provocación, en la que cayeron los mexicanos, y que sirvió de pretexto al presidente Polk para declararle la guerra a México, al afirmar que habían sido los soldados mexicanos quienes habían invadido el territorio estadounidense.

El ejército norteamericano invadió Alta California mientras que Santa Anna, una vez más, intentaba improvisar un ejército y hacerse de recursos económicos para mantenerlo. El avance hacia el sur de los estadounidenses mandados por el general Zacarías Taylor era arrollador; la improvisación y falta de preparación de los mexicanos ayudaba bastante a ello y, al poco de haber iniciado la guerra y después de derrotar a las fuerzas mexicanas en Palo Alto y Resaca de la Palma, ya se encontraban en Monterrey. Santa Anna decidió salir rumbo al norte y dejó a Gómez Farías como presidente interino del país, con la encomienda de que se hiciera de recursos para afrontar la guerra. El 22 y 23 de febrero de 1846 el ejército mexicano atacó a los norteamericanos en la Angostura y, a punto de obtener la victoria, Santa Anna ordenó la retirada, resultando en que el ejército victorioso se convirtió en vencido.

Gómez Farías consideró que la manera más rápida, fácil y conveniente (para los liberales) de obtener los recursos era quitándoselos a la Iglesia. En enero de 1847 emitió una ley que autorizaba al gobierno a apropiarse de los bienes de la Iglesia hasta haber recaudado 15 millones de pesos. La reacción fue similar a la vista más de 10 años antes. El pueblo y el clero se levantaron en armas y la ciudad de México se convirtió en otro campo de batalla, en el que la muchedumbre enardecida impidió que Gómez Farías pudiera salir de Palacio Nacional. Tan mal estaba la situación que Santa Anna tuvo que dejar el frente de guerra, en el que sólo había sufrido derrotas, para rescatar a su vicepresidente. Ya en la ciudad, anuló el decreto que

74

había desatado el conflicto a cambio de una cooperación "voluntaria" del clero por 100 mil pesos.

Para dar fin a la guerra, los norteamericanos abrieron otro frente de batalla al invadir el puerto de Veracruz. Ahora los invasores atacaban por el norte y por el sureste del país, mientras que el ejército mexicano no podía detener su avance.

A mediados de 1847 era casi un hecho que las tropas invasoras llegarían a la ciudad de México, por lo que las autoridades políticas, encabezadas por el presidente, hicieron los preparativos para impedirlo. Todas las entradas a la urbe fueron reforzadas, especialmente las del norte, con soldados, guardias nacionales y voluntarios. El 7 de septiembre se dieron los primeros enfrentamientos en la Casa Mata, el Molino del Rey y Churubusco, pero el más famoso tuvo lugar el día 13 en el castillo de Chapultepec, entonces sede del Colegio Militar. Ahí los jóvenes cadetes y el ejército norteamericano se batieron en una lucha desigual de la que salieron victoriosas las armas extranjeras. Con el paso del tiempo, esta hazaña exaltó el patriotismo con el que combatieron seis jóvenes cadetes a los que, a fines del siglo XIX, se les comenzó a llamar "niños héroes".

La caída de Chapultepec tuvo dos consecuencias inmediatas: la renuncia de Santa Anna a la presidencia del país y la ocupación de los norteamericanos de la ciudad de México. El nuevo gobierno encabezado por Manuel Peña y Peña comenzó a tramitar la paz con Estados Unidos en una serie de conversaciones que culminaron con la firma, a inicios de 1848, de los Tratados de Guadalupe Hidalgo. Por éstos México se veía obligado a vender la Alta California y Nuevo México por 15 millones de dólares; a cambio, Estados Unidos pagaría los gastos de guerra y cubriría los daños sufridos por sus connacionales en México.

Indiscutiblemente estas experiencias, aunadas a la independencia de Texas, fueron frustrantes para la mayoría de los mexicanos, quienes habían constatado que, a menos de 30 años de haberse consumado la independencia, ya habían perdido más de la mitad de su territorio.

Capítulo **5**

De la Guerra contra Estados Unidos a la segunda intervención francesa (1848 - 1864)

México tras la guerra (1848 - 1855)

Una vez firmada la paz con Estados Unidos, el Congreso escogió nuevamente como presidente a José Joaquín Herrera. Este político, partidario del bando conservador (conformado por los antiguos centralistas), quiso sanar las heridas de la guerra con la creación de un gobierno conciliador que trabajara en la reconstrucción del país y no para alguna facción política. Esta tarea era difícil, pues los problemas que existían en la nación eran por demás complicados.

Yucatán se había separado desde 1846 y un año más tarde estalló ahí un conflicto llamado la "guerra de las castas", que consistió en un levantamiento masivo de los indígenas de los estados actuales de Campeche, Quintana Roo y Yucatán contra la población blanca. El movimiento adquirió dimensiones extraordinarias pues las únicas poblaciones donde los blancos podían estar seguros eran Campeche y Mérida, ya que las haciendas eran el blanco preferido de los indígenas. La razón de ser de este conflicto estribaba en los continuos abusos y humillaciones infligidos por los blancos a los distintos grupos mayas. En el sureste mexicano era común que los indígenas vivieran en una situación de esclavitud que, si bien estaba prohibida por la ley, era tan descarada que aún quedaban contratos de venta de mayas como esclavos en la época.

Esta situación era insoportable para los blancos, por lo que en 1848 pidieron la reincorporación de Yucatán a México para que de esta forma fueran las autoridades federales las encargadas de solucionar el conflicto enviando tropas. Los esfuerzos del presidente para llevar a buen fin el problema dieron resultados en 1850, cuando los indígenas mayas acordaron dejar las armas y los blancos aceptaron, entre otras cosas, permitirles establecerse en terrenos baldíos.

Los aportes que el presidente Herrera legó a México también tenían un aspecto social. Fue el primero en llevar a cabo una campaña contra el alcoholismo, muy extendido en el campo; combatió el bandolerismo, que además de generar mermaba la economía nacional. También se preocupó por reformar el sistema penitenciario, para que los reos pudieran recibir un trato más humano y, por último, mandó construir más hospitales y escuelas, pues reconocía que el rezago que sufría el país en estos rubros mermaba su desarrollo. Esta política fue hasta cierto punto exitosa, pero pudo serlo más de haber contado con mayores recursos financieros.

Herrera tuvo también la buena fortuna de poder llevar a buen término su gestión pues, cosa rara en la historia mexicana decimonónica, ningún levantamiento armado o conspiración lo sacó del poder. En 1851 le sucedió Mariano Arista, un liberal moderado también conciliador y capaz.

Las cosas marcharon mal para Arista pues en su gobierno, sin que él lo provocara, se desató la inestabilidad que había estado aletargada en la administración anterior. Los liberales (antiguos federalistas) estaban encabezando una serie de levantamientos en la Piedad, Michoacán y Guadalajara, que condujeron en 1851 al Plan del Hospicio, donde lo desconocían como presidente y proponían, por enésima vez, el retorno de Santa Anna al poder. Aunque este caudillo se encontraba exiliado en Colombia, no hay que dudar que fuera el promotor y patrocinador de algunas de estas asonadas.

Los levantamientos facilitaron el surgimiento de un ambiente de anarquía que, aunado a la crisis económica permanente, sumieron al país en una ingobernabilidad que no se había visto desde tiempos anteriores a la guerra contra Estados Unidos. La condición era tan grave que tanto liberales como conservadores criticaban al presidente y éste, al verse sin apoyo alguno, optó por renunciar a inicios de 1853 y exiliarse en Europa.

Esta situación era particular por varias razones. En principio, los dos grupos antagónicos por excelencia mantuvieron puntos de vista y críticas comunes —cosa que nunca antes se había dado—; además, la renuncia del presidente no fue el resultado de un golpe militar sino del hartazgo que sintió al ver cómo todos lo juzgaban por la situación en la que se encontraba el país, pero ninguno ayudaba a solucionarla. Otra peculiaridad, tal vez la más extraña de todas, es que ambos pensaban que el único que podía ocupar la presidencia y ayudar así al país era Santa Anna.

A Colombia llegaron misivas y representantes de ambas corrientes ideológicas para convencer al caudillo veracruzano de que aceptara la propuesta que le ofrecían. Ello hizo creer definitivamente a Santa Anna que era el indispensable en México y, por esa misma causa, determinó que sólo a su llegada decidiría si iba a gobernar con los centralistas o con los federalistas pues, en pocas palabras, se iría con "el mejor postor".

Tras su desembarco en México, Santa Anna escuchó a los líderes del liberalismo y conservadurismo y se decidió a favor de los conservadores. Claro está que tal fallo se debió a que era conveniente a los intereses del caudillo, que creyó que los conservadores no lo iban a limitar en el ejercicio del poder y ello le permitiría tener un mayor control político del país.

Esta presidencia, la última de Santa Anna, fue de contrastes. Empezó en 1853 muy bien, pues el presidente mostraba un apego por la ley que raras veces se le había visto y tomaba decisiones de manera colegiada que, usualmente, eran acertadas. Parecía ser el inicio de una gestión exitosa que al fin sacaría al país de la crisis; sin embargo, este panorama se nubló repentinamente.

Mientras vivió Lucas Alamán —líder de los conservadores—, el presidente mostró un comportamiento adecuado y se dejó "controlar" por el vetusto político, pero a la muerte de éste, en junio de 1853, Santa Anna careció de ataduras y pudo actuar libremente.

El proceso de acumulación de poder por parte de Santa Anna fue sutil y contó con el apoyo de liberales y conservadores, quienes estaban embelesados con la figura del presidente. El primer paso que se dio para transformar al régimen republicano en una dictadura fue cuando el Congreso le otorgó poderes omnímodos, es decir, le cedió a Santa Anna sus poderes constitucionales para que pudiera estabilizar al país.

La obtención de poderes absolutos permitió al caudillo manejar la política nacional a su antojo y, con ello, establecer su dictadura. Emitió una ley a través de la que se prohibía a la prensa, so pena de encarcelamiento de los editores y articulistas, así como el cierre de la publicación, publicar críticas —por muy justificadas que éstas fueran— contra el gobierno y sus miembros. A los magistrados, gobernadores, diputados y otros funcionarios públicos que comenzaron a oponer resistencia contra sus arbitrariedades los depuso y encarceló como ejemplo para todos aquellos que quisieran seguir sus pasos.

Como suele suceder en las dictaduras, los excesos siguieron en aumento hasta que generaron un descontento generalizado que, a su vez, volvió más suspicaz al dictador. Los aires de grandeza de Santa Anna llegaron al extremo de hacerle sentir emperador de México y exigir que se le diera el tratamiento de Alteza Serenísima, utilizado sólo para referirse a los monarcas. No se podría atribuir este hecho al personaje y, en consecuencia, verlo de manera aislada. Se trataba de una acción oportunista, pero firme, para reinstaurar el sistema monárquico. En ese entonces había muchos mexicanos que se sentían frustrados ante el fracaso de las opciones federalistas y centralistas, pues ninguna había dado al país la gobernabilidad necesaria; por ello apoyaban la idea de regresar a la monarquía como forma de gobierno. Las disputas al respecto giraban en torno al origen del monarca, pues estaban aquellos que deseaban a un extranjero procedente de una casa nobiliaria importante, y los que creían que no era necesario ir tan lejos pues un mexicano podía ocupar el trono; entre éstos últimos se encontraban los adeptos de Santa Anna. Sin embargo, eran más los que se oponían a esta idea pues, conocedores de la calidad moral del presidente, sabían que ello llevaría a la ruina al país.

Estos también fueron tiempos de una severa crisis económica o, según algunos conocedores, la peor en la historia nacional; por ello Santa Anna tomó ciertas "medidas" para combatirla. Por decreto presidencial, los propietarios de las casas debían pagar al año una determinada cantidad por cada puerta y ventana que tuviera su hogar; los dueños de carruajes tendrían que hacer lo propio, al igual que las personas que fueran dueñas de perros y caballos. Parecería ser una política económica carente de toda lógica, pero era bastante congruente con el régimen.

Mientras más tensa se ponía la situación interna del país, estuvo a punto de suscitarse otra guerra con Estados Unidos. El gobierno de aquel país se había embarcado en el proyecto de construir un ferrocarril que conectara su costa atlántica con la pacífica y, para ahorrar gastos, era conveniente que pasara por territorio mexicano. Los constructores presionaron a su gobierno para que les ayudara. Éste quiso comprar el territorio de la Mesilla, entre los estados de Sonora y Chihuahua, por ser lo más sencillo, e hizo un ofrecimiento de 10 millones de dólares al gobierno mexicano, que rechazó la oferta por atentar contra la soberanía nacional. Sin embargo, cuando los norteamericanos sugirieron que de no vender podría estallar un conflicto armado, Santa Anna dio la orden para hacer la transacción.

En 1854 existía en todo México un enojo generalizado contra Santa Anna. Quienes más se quejaban eran los liberales, pues veían cómo se estaba conformando un régimen dictatorial que iba a llevar a México a la monarquía absoluta, lo que para ellos era sinónimo de retraso. Comenzaron a conspirar, pero al llegar a oídos del presidente lo que estaban haciendo, empezó una campaña de persecución contra este grupo político. Los liberales fueron encarcelados o asesinados en todo el país y aquellos que desearon evitar esa suerte optaron por el exilio. La gente del pueblo utilizó su ingenio y creó una rima que decía que a los liberales mexicanos les esperaba "el encierro, entierro o destierro". Para evitar que se fugaran sus rivales, Santa Anna creó una ley por la que era obligatorio el uso de pasaportes para pasar de un estado del país a otro; las personas que quisieran cruzar las fronteras sin tener uno debían ser encarceladas o, si oponían resistencia, fusiladas.

Pero también los conservadores estaban molestos pues, aunque le habían llevado al poder y no eran perseguidos, su manera de hacer política en poco ayudaba a la estabilidad de México y a sus intereses económicos. La diferencia con los liberales era que los miembros de esta tendencia política se cuidaban de no mostrar su disconformidad frente a Santa Anna.

Sería injusto afirmar que en este gobierno todo fue malo y que no hubo aportes para la nación. El aspecto que es más digno de rescatar de esta última presidencia santannista es la creación del himno mexicano. El XIX fue el siglo del nacionalismo y parte fundamental del mismo eran los símbolos como las banderas y los objetos personales de los héroes patrios. México carecía de un himno nacional y ello, según el presidente, era lo que había propiciado la desunión desde la independencia. Para solucionar este problema, convocó a un concurso en el que se invitaba a todos los compositores y literatos radicados en el país para que escribieran la letra y música del himno. Fueron dos los triunfadores: el español Jaime Nunó (música) y el mexicano Francisco González Bocanegra (letra).

Se ha censurado a Bocanegra por incluir las figuras de Santa Anna e Iturbide en el himno. Tales críticas son injustificadas, pues hay que recordar que el primero era el encargado de seleccionar al triunfador del certamen y que, a mediados del siglo XIX, el segundo aún era considerado por muchos un héroe nacional. Estos reparos tomaron tanta fuerza en la segunda mitad de ese siglo que se decidió mutilar el himno y suprimir las estrofas IV y VII.

Cada vez eran más los mexicanos que se oponían a la tiranía de Santa Anna y no pasó mucho tiempo para que comenzaran a estallar levantamientos, siendo el de Ayutla, en 1855, el más importante hasta entonces por las repercusiones que tuvo en la historia de México.

La Revolución de Ayutla y la Guerra de Reforma (1855 - 1861)

La Revolución o levantamiento de Ayutla fue organizada por un grupo de liberales liderados por Juan Álvarez, el cacique más importante del estado de Guerrero, que deseaban acabar con la dictadura santannista, la injusticia social, los privilegios sociales y el rezago educativo en el país.

Los liberales mexicanos, tanto los que se encontraban en territorio nacional como los exiliados, conformaban una joven generación de políticos con ideas diferentes. Conscientes de los problemas tradicionales de la nación, y aún dolidos por la guerra con Estados Unidos, estaban dispuestos a hacer lo que estuviera en sus manos para evitar que esta situación subsistiera por más tiempo. Ideológicamente se les puede considerar como herederos de la vertiente más radical del Partido del

Progreso. Creían fervientemente que la única manera de hacer de México un país moderno era romper completamente con el pasado, al que consideraban un lastre nacional. No sólo fueron imitadores del partido citado, también hicieron aportes vinculados con las ideas liberales que estaban de moda en Europa: el respeto a los derechos del ciudadano, el establecimiento de un sistema democrático, la instrucción del pueblo y la separación entre la Iglesia y el Estado.

En el sur del país, particularmente en el estado de Guerrero, el general Juan Álvarez estableció desde inicios de la independencia un cacicazgo. A Santa Anna no le gustaban los caciques y en especial Juan Álvarez, por su poder regional y por su ideología netamente liberal. El cacique, por su parte, estaba en contra de los atropellos cometidos por el caudillo contra los miembros de su partido y contra los mexicanos en general; por ello fue que organizó un levantamiento armado contra él.

Un grupo de liberales jóvenes y de mediana edad se unió a Juan Álvarez para organizar el levantamiento armado, y entre todos suscribieron el Plan de Ayutla. En el Plan desconocían a Santa Anna, proponían que el ejército eligiese a un jefe como presidente interino, cuyas funciones serían las de convocar a un Congreso constituyente y, posteriormente, a elecciones. Desde un inicio el movimiento mostró ser exitoso, especialmente porque contaron con el apoyo de los liberales exiliados en Estados Unidos (Benito Juárez y Melchor Ocampo, entre otros) que no dudaron en compartir los escasos recursos económicos con los que sobrevivían. Por otro lado, el movimiento tuvo seguidores en el país, pues hacendados, militares, campesinos y comerciantes, optaron por tomar las armas, o por colaborar de cualquier otra forma que les fuera posible, hasta que el levantamiento logró adquirir dimensiones nacionales.

En abril de 1855 Santa Anna tomó el mando del ejército y marchó rumbo a Guerrero con la intención de acabar con el foco de subversión; sin embargo, el presidente mostró otra vez su falta de dotes militares pues fue derrotado. Como la situación estaba perdida, decidió salir del país antes de que su vida corriera peligro.

Los revolucionarios se reunieron y, en cumplimiento con lo acordado en el Plan de Ayutla, proclamaron a Juan Álvarez como presidente interino, quien a su vez convocó a un Congreso.

Un aspecto importante del gobierno de Juan Álvarez es que conformó su gabinete con liberales que tenían la particularidad de ser jóvenes. Gracias a ello es que gente tan importante para la historia nacional como Melchor Ocampo, Benito Juárez, Guillermo Prieto e Ignacio Comonfort tuvieron la oportunidad de una participación política activa que en algunos casos culminó hasta finales del siglo XIX.

Los grupos conservadores de la sociedad, que no eran pocos, no apoyaron a este gobierno pues creían que, como había sucedido con Vicente Guerrero, estaba encabezado por un político poco hábil y falto de educación. A la par, también comenzaron a evidenciarse las diferencias entre los liberales moderados y los puros o radicales. En esta pequeña "competencia" —por llamarle de algún modo— triunfó el primer bando, que convenció al presidente de la conveniencia de mantener al ejército anterior y reformarlo.

Esta administración se interesó por hacer leyes que permitieran mantener en orden al país bajo los ideales del liberalismo Ejemplos de lo anterior fueron la Ley Juárez, redactada por Benito Juárez, ya ministro de Justicia, en la que se suprimían los fueros militares y religiosos en los asuntos civiles, y la disposición de Melchor Ocampo, que privaba del derecho de voto al clero. Quedaba claro que el gobierno iba a aplicar una política agresiva contra el ejército y, especialmente, contra el clero, los dos grupos que más se identificaban con el partido conservador.

Por motivos personales, Juan Álvarez renunció a su su fugaz pero brillante mandato en diciembre de 1855 y dejó a Ignacio Comonfort como el responsable de la presidencia de México.

Comonfort aclaró que su gobierno sería conciliador, incluyente, respetuoso de la libertad y fomentador del orden. Los resultados no se hicieron esperar, pues sometió rápidamente a las bandas de asaltantes, a los indígenas sublevados e inicialmente logró calmar a los conservadores.

Sin embargo, la mayor preocupación de Comonfort era crear una nueva Constitución, más acorde con los ideales liberales El Congreso estaba reunido desde mediados de 1855, poco tiempo para poder hacer una Constitución. A fin de llenar este vacío, el presidente hizo una serie de decretos en los que se exaltaban las garantías individuales (libertad, seguridad, igualdad y propiedad); se abolían la esclavitud, los monopolios, los castigos degradantes, la pena de muerte y los prestamos forzosos; se prohibía la coacción civil en los votos eclesiásticos y, el último, se disolvía nuevamente la Compañía de Jesús en México. A pesar de tratarse de un gobierno liberal moderado, quedaba en claro que su intención era la de debilitar a la Iglesia, ya que ésta era vista como una organización cuyo poder rivalizaba con el del Estado.

Al ver estas medidas, los miembros del gabinete se sintieron más libres para actuar. En 1856 el secretario de Hacienda, Miguel Lerdo de Tejada, emitió la Ley Lerdo, por la que se exigía que se desamortizaran las corporaciones civiles y eclesiásticas, para poner en circulación las riquezas estancadas en manos muertas. En otras palabras, la ley exigía que aquellas propiedades que teniendo dueño no eran utilizadas pasaran a manos del gobierno, que las vendería. En el fondo se deseaba debilitar el poderío económico del clero, crear un grupo de pequeños propietarios e incrementar los ingresos del Estado.

Ese mismo año se expidió la Ley Iglesias, que prohibía a la Iglesia el cobro de diezmos y derechos a los menesterosos.

Al fin, la Constitución fue proclamada el 5 de febrero de 1857 —por ello es conocida como la Constitución de 1857—. Los debates entre los liberales fueron muy intensos. Los radicales, aunque conformaban un grupo minoritario, tenían un representante estelar en Valentín Gómez Farías, quien se empeñó en que los principios del Partido del Progreso formaran parte de la nueva Constitución. Los moderados, por su parte, querían que los contenidos liberales estuvieran en el documento, pero no deseaban que todos los principios de dicho partido estuvieran ahí, pues su virulencia podía generar desórdenes. Fueron las continuas discusiones y la ausencia de consenso las razones que evitaron que la Constitución saliera a la luz pronto.

Este documento definía a México como "republicano, federalista, democrático y liberal" y mostraba una mayor preocupación por lo social, especialmente por las garantías individuales. En conformidad al ideario liberal, reconocía a los hombres ciertos derechos que poseían por nacimiento, no por la voluntad del Estado, y que debían ser respetados por las autoridades e instituciones políticas. El artículo

3° hacía referencia a la libertad de enseñanza, el 4° a la libertad de trabajo, el 7° trataba sobre la libertad de prensa, mientras que el 5° reconocía el derecho a recibir un jornal justo y afirmaba que los votos monásticos iban en contra de la libertad del ser humano. En materia religiosa, los artículos 15° y 127° fueron los que se prestaron a más discusiones pues, mientras que el primero reconocía la libertad de cultos —aunque daba preferencia al católico—, el segundo cedía al Estado el derecho a legislar en materia religiosa. Con relación al respeto a los derechos de los individuos, esta Constitución tuvo un gran aporte al contener la ley del derecho de amparo, misma que fue pensada para que defendiera a los ciudadanos frente a los abusos del Estado.

En un principio se generaron críticas y discursos por parte de conservadores y liberales; pero conforme los ánimos se fueron caldeando más, ambos grupos cambiaron la pluma por la espada.

En el mismo año de 1857 estallaron movimientos conservadores contra el gobierno. Deseaban derrocar al presidente y derogar las leyes liberales. De todos los levantamientos, el de Puebla fue el que tuvo mayor fuerza. Ahí, militares y clérigos se unieron para adueñarse de la ciudad, convertirla en el centro del movimiento y acabar con las leyes promulgadas por el gobierno liberal. Tras muchos esfuerzos, Comonfort logró hacerse de la ciudad y ordenó una serie de medidas drásticas para que sirvieran como ejemplo al resto de los levantados en el país. Los bienes de la Iglesia fueron confiscados, mientras que los clérigos y militares golpistas fueron encarcelados, fusilados o exiliados.

Los levantamientos continuaron y comenzaron a expandirse por el país, de tal forma que la lucha entre el gobierno, clero y ejército se convirtió en una guerra civil.

El general Félix Zuloaga, conservador de pura cepa, lanzó el Plan de Tacubaya, por el que desconocía la Constitución de 1857, proponía la creación de un nuevo Congreso constituyente y reconocía a Comonfort como presidente del país con facultades omnímodas, para que éste se adhiriera al movimiento y tuviese más posibilidades de éxito. El presidente optó por unirse a los rebeldes, pues creía que las autoridades estatales y la mayoría del grupo liberal le seguirían, lo que en realidad jamás sucedió. Sus compañeros de partido no estaban de acuerdo con que se derogase la legislación reformista y menos aun cuando el presidente, bajo la influencia de los conservadores, había dado la orden de que se encarcelara a Benito Juárez —en ese entonces jefe de la Suprema Corte de Justicia—. Fue este último hecho el que mostró a los liberales que era Félix Zuloaga quien en realidad gobernaba al país.

La falta de apoyo que recibió el presidente de los liberales no agradó a los conservadores, quienes al ver que el aún presidente dejaba de serles útil decidieron quitarlo de su puesto. En enero de 1858, las guarniciones de México y Tacubaya desconocieron al presidente y se pronunciaron a favor de Zuloaga. Comonfort reconoció su error y, para resarcirlo ahora que ya no tenía el poder, sacó de la cárcel a Benito Juárez y a otros liberales, pactó un armisticio con Zuloaga y se exilió en Estados Unidos.

Juárez no se quedó en la capital, pues sabía justificadamente que corría enorme peligro y huyó a Guanajuato para ponerse a salvo. Aseguraba que él era el presidente legal de México por ser jefe de la Suprema Corte de Justicia. Aunque era legítima la proclama, de poco sirvió, pues la mayor parte del ejército y de sus grandes líderes se había pasado al bando conservador, mientras que quienes le seguían eran en su mayoría civiles y algunos militares de carrera.

Cuando la situación le fue contraria, Juárez tuvo que salir de Guanajuato y refugiarse en Guadalajara, en donde traidores de su propio ejército lo apresaron e intentaron fusilar. Sin embargo, el oaxaqueño logró salvar la vida gracias a la intervención de Guillermo Prieto, quien pronunció un discurso que convenció a los que iban a ser verdugos de Juárez de no cometer ese error. Juárez salvó la vida y desde Manzanillo partió hacia Veracruz, adonde llegó en mayo de 1858 y estableció su gobierno.

El avance conservador fue veloz y ello les hizo sentirse dueños de la república y triunfadores de la guerra, puesto que, a casi un año de haberlo iniciado, el conflicto les era favorable. Sin embargo, a finales de 1858, cuando comenzaron a darse las divisiones en el seno de este grupo, un contingente de militares conservadores desconoció a Zuloaga y proclamó como presidente de México al general Miguel Miramón.

Miramón era un joven militar, de los más brillantes en la historia de México según algunos historiadores, que tenía fama de ser muy exitoso en lo que a las armas se refería. Hay dos datos de este personaje que vale la pena resaltar. Fue compañero de generación de los "niños héroes" en la época de la Guerra contra Estados Unidos y ha sido el presidente más joven en la historia de México, pues tenía sólo 26 años cuando asumió el cargo.

En febrero de 1859, Miramón fue proclamado presidente del país y, como primera medida de gobierno, decidió tomar el puerto de Veracruz para acabar con Juárez y la guerra. A pesar de la superioridad de su ejército, el presidente no pudo tomar el lugar y hubo de conformarse con establecer un sitio alrededor del puerto. Mientras tanto, el general liberal Degollado salió de Toluca para atacar la ciudad de México, pero fue derrotado por el conservador Leonardo Márquez.

El año de 1859 fue importante, pues en la guerra se presentó un equilibrio de fuerzas que empantanó el conflicto de tal manera que difícilmente se veía salida. Sin embargo, Juárez siguió haciendo su trabajo y creyó que había llegado el momento de darles un duro golpe a los aliados de los conservadores y decretó las Leyes de Reforma.

Este conjunto de leyes pretendía llevar a la práctica el ideario liberal de Ayutla. Durante el conflicto armado, su principal objetivo era atacar a la Iglesia por ser una institución que rivalizaba con el poder del Estado y que impedía el pleno desarrollo de éste y de la sociedad mexicana.

Producto de este estancamiento también fue el deseo de los bandos de obtener el reconocimiento extranjero, por lo que tanto liberales como conservadores comenzaron a buscar aliados fuera del país. Juárez obtuvo el reconocimiento de Estados Unidos y Miramón el de España. Ambas naciones se involucraron en el conflicto para obtener alguna ganancia del mismo; para ello, tanto Estados Unidos como España firmaron tratados en los que cada uno condicionaba el reconocimiento del «presidente» mexicano a cambio de ciertas condiciones.

Los liberales pactaron con el gobierno norteamericano el Tratado McLane-Ocampo, llamado así por los dos personajes que intervinieron en él: Melchor Ocampo por México, y McLane por los Estados Unidos. Por el mismo, Estados Unidos reconocía a Benito Juárez como presidente de México a cambio de la concesión a perpetuidad del tránsito libre por el istmo de Tehuantepec y por el camino entre los puertos de Mazatlán y Guaymas en el caso de los ciudadanos americanos; además exigían que se permitiese la entrada libre de tropas americanas de Guaymas a Nogales. Este documento generó muchas críticas entre los liberales moderados, pues preferían firmar la paz con los conservadores que "vender" el país a Estados Unidos, como se decía que lo estaba haciendo Juárez, El tratado fue rechazado por el senado norteamericano.

Los conservadores firmaron el Tratado Mon-Almonte por el que España ponía dos condiciones para reconocer a Miramón como presidente mexicano: que se indemnizara a los deudos de los españoles asesinados en las haciendas de San Vicente, Chiconcuac y San Dimas; también se exigía el reconocimiento de la deuda que México mantenía con España —casi 2,500,000 pesos—.

En 1860, el presidente conservador decidió intentar tomar Veracruz por segunda vez. Pensó que debía complementar el sitio terrestre con uno marítimo. La acción marítima fracaso, ya que los barcos conservadores fueron atacados por barcos americanos que, a petición de Juárez, estaban en las proximidades de Veracruz.

Lo anterior fue un fracaso militar tan grande que el conservador Miramón hizo una propuesta de paz a Juárez, pues consideraba que era la única manera de arreglar el conflicto, pero el presidente liberal no aceptó esta proposición conservadora porque hacerlo era reconocer que él no era el presidente, y estaba consciente de que la balanza de la guerra se estaba inclinando hacia su lado.

Con el fin de poder financiar el final de la guerra, los liberales se apoderaron de los bienes de plata de las iglesias y se incautó 1 millón de pesos a los particulares. Miramón, por su parte, en un acto temerario e inconsciente, derivado de la urgencia por obtener recursos, negoció con el banquero suizo Jecker, quien le dio un préstamo de 700 mil pesos a cambio de que el gobierno conservador pagase 15 millones de pesos.

A fines de 1860, los liberales estaban a las puertas de la ciudad de México. Miramón salió a combatirlos, pero poco pudo hacer, pues fue derrotado definitivamente por el general Jesús González Ortega en San Miguel Calpulalpan, estado de México, el 22 de diciembre de 1860 y salió de la capital rumbo al extranjero. Los liberales entraron a la ciudad de México el 25 de diciembre de 1860, dando fin así a tres años de guerra civil en la nación.

La guerra había terminado, no así la inestabilidad. El gobierno de Juárez tuvo que seguir haciendo frente a grupos de conservadores que luchaban de forma desarticulada a base de guerrillas, con la esperanza de recibir apoyo del extranjero y sin tener éxito alguno.

Juárez reinstaló al Congreso para que lo proclamase presidente e imperara de nuevo el orden constitucional. A continuación, optó por expulsar del país a los mexicanos —sin importar que fuesen clérigos destacados, militares ilustres, políticos de gran talla— y extranjeros que durante la lucha habían apoyado a sus rivales. La medida generó malestar en los conservadores, especialmente entre los aún insurrectos, por considerarla como un acto hostil del gobierno hacia ellos. Para vengarse, una guerrilla conservadora tomó prisionero y asesinó, en 1861, a Melchor Ocampo, amigo íntimo y colaborador destacado de Benito Juárez.

Los tiempos que siguieron a la guerra fueron difíciles para Juárez pues, aunque había sido ratificado en el cargo de presidente por el Congreso, había en el país cierto malestar con él. La prensa le criticaba que, tras la guerra, ni él ni su gabinete habían sido capaces de apaciguar al país; también lo acusó de no haber cumplido con la Constitución de 1857 pues durante la Guerra de Reforma y los primeros meses de 1861 había gobernado "conforme a su criterio", es decir, de manera autártica.

Los ánimos estaban tan caldeados que el Congreso, en un deseo por calmarlos y comenzar así el proceso de reconstrucción del país, sometió la continuidad de Juárez en la presidencia. Los debates fueron muy acalorados entre los detractores y defensores del presidente. De los 103 diputados que conformaban el Congreso, 51 pidieron la remoción del presidente y 52 su permanencia. Fue un voto el que le dio a Juárez la posibilidad de seguir siendo el representante del poder ejecutivo de la nación.

Otro gran problema de la administración juarista fue la economía. Después de la Guerra de Reforma el gobierno liberal se encontró en bancarrota. Los desastres generados por la guerra ayudaron a esta situación, pero también influyeron la exageración que hicieron los liberales respecto al monto del valor de las riquezas de la Iglesia, que se hubieran vendido a precios irrisorios algunas de sus propiedades y que los diferentes ministros de hacienda no pudieran poner orden en las cuentas públicas.

La situación era grave, pues con una economía en tal estado y considerablemente endeudada, era imposible llevar a cabo la reconstrucción y modernización del país. Como no había capital suficiente, el gobierno se enfrentaba a la disyuntiva de que o comenzaba a pagar la deuda que tenía el país con el extranjero, o utilizaba el dinero para invertirlo en México. Juárez optó por la segunda alternativa y proclamó la suspensión del pago de la deuda con la frase: "Primero vivir que pagar". Las naciones más perjudicadas eran Inglaterra, a quien se le debían 70,000,000 pesos; España, 9,500,000 pesos, y Francia, 3,000,000.

La medida irritó a estas naciones, no tanto por su naturaleza, sino por la forma en la que fue aplicada pues México, el deudor, había decidido de manera unilateral dejar de cumplir con los compromisos económicos que había adquirido tiempo atrás con estos países, los acreedores. España, Francia e Inglaterra, como represalia, rompieron relaciones diplomáticas con México.

En octubre de 1861, estas tres naciones se reunieron en Londres con la idea de hacer un frente común para exigir al gobierno mexicano el pago de sus deudas. Ahí acordaron que enviarían sus ejércitos al puerto de Veracruz, también aclararon que por ningún motivo penetrarían tierra adentro, y que tampoco intervendrían en los asuntos internos de México. España e Inglaterra estaban dispuestos a respetar lo establecido en la esta reunión —conocida como la Convención de Londres—, Francia, por el contrario, tenía otra idea.

La segunda intervención francesa (1862 - 1864)

El emperador francés Napoleón III pensó en establecer en América un imperio que uniese a todos los pueblos latinos del continente y que frenara el avance de los sajones americanos. Para poder dar un sustento ideológico a este proyecto, acuñó el término "latinoamericano". Latinoamericanos eran, y son, todos aquellos territorios en América poseedores de una lengua y culturas de origen latino (romano); Francia, a su vez, era una nación europea latina, por lo que estaba supuestamente hermanada con el continente americano.

En diciembre de 1861 y enero de 1862, españoles, ingleses y franceses, en este orden, llegaron al puerto de Veracruz. Cuando los tres ejércitos desembarcaron en México, sus comandantes exigieron al presidente del país el pago de sus deudas. Juárez intentó resolver el problema por la vía diplomática y mandó una misiva a los representantes de los tres países en la que aseguraba que su gobierno no desconocía el adeudo, y los invitaba a dialogar para arreglar la situación. Al poco tiempo se reunieron los enviados del gobierno de Juárez y el representante de los europeos. Las pláticas tomaron un buen rumbo y el 19 de febrero de ese mismo año se firmaron los acuerdos preliminares, llamados de la Soledad, por la pequeña población donde se realizaron, y el gobierno mexicano, en un gesto de buena voluntad, permitió a las tropas extranjeras que se establecieran en Orizaba y Tehuacán, ciudades con un clima más benigno que el del puerto.

Los franceses no tardaron mucho tiempo en demostrar cuáles eran sus verdaderas intenciones. Su representante se mostró intolerante frente al gobierno mexicano, actitud que se recrudeció aún más cuando, en marzo, llegó a México el duque de Lorençez, al mando de más de 4000 soldados, en un hecho que era poco amistoso y diplomático.

Hay un dato curioso al respecto: con él llegaron al país varios conservadores, entre ellos Juan Nepomuceno Almonte, que era hijo de José María Morelos y Pavón, el caudillo insurgente que había peleado en la Guerra de Independencia de México.

El arribo de más soldados franceses rompió el clima de tranquilidad que imperaba en las negociaciones, pues el hijo de Morelos comenzó a incitar a la gente en Veracruz a que se rebelaran en contra del gobierno de Juárez, quien a su vez rompió todo contacto con los franceses. España y la Gran Bretaña observaron que Francia había violado lo pactado en la Convención de Londres, así que ambas naciones concluyeron la alianza, negociaron por separado con México y reembarcaron sus tropas.

Frente a la posibilidad de un conflicto armado contra Francia, Juárez se vio urgido de recursos. Firmó el Tratado Corwin-Doblado, por el que el gobierno estadounidense daba a México un préstamo de 11 millones de dólares pagaderos a 6 años; también se exigía que México dejase en garantía los territorios de Baja California, Chihuahua, Sonora y Sinaloa. El tratado jamás entró en vigor, pues el Congreso norteamericano no lo pudo ratificar debido al comienzo de la Guerra de Secesión.

En abril de 1862, el ejército francés inició hostilidades contra el ejército y gobierno mexicanos. Después de haber obtenido una serie de triunfos fáciles en Veracruz, los europeos se enfilaron hacia la ciudad de Puebla, ciudad conservadora y clerical que se hallaba defendida por el general liberal Ignacio Zaragoza.

La lucha por Puebla se dio el 5 de mayo y, gracias al buen planteamiento táctico de Zaragoza, los soldados mexicanos lograron imponerse al ejército francés, entonces el ejército más prestigiado del mundo. Este triunfo de las armas nacionales levantó la moral de las tropas y del gobierno mexicano.

A finales de 1862, llegaron a Veracruz más tropas francesas, al mando de los mariscales Federico Forey y Aquiles Bazaine, con lo que se reunió un total de más de 30,000 soldados.

Juárez y otros políticos centrados sabían que la guerra aún no había sido ganada, así que el presidente decidió tomar algunas medidas para continuar con la defensa del país: determinó que todos los mexicanos que colaborasen con el invasor serían ajusticiados sin juicio alguno, además obligó a los varones de entre 16 y 70 años que habitasen en las ciudades importantes a que trabajaran un día a la semana en las fortificaciones de sus ciudades. El 16 de marzo de 1863 los franceses volvieron a atacar la ciudad de Puebla; su defensor anterior, el general Ignacio Zaragoza, había fallecido en 1862 de fiebre tifoidea y ahora sí la pudieron tomar, después de un duro sitio de sesenta y dos días, con lo que les quedó franco el paso hacia la capital de la nación.

Durante su camino hacia la ciudad de México, los franceses recibieron el apoyo de las tropas conservadoras y ello, aunado a la caída de Puebla, les permitió un avance tan veloz que los soldados europeos, después de ocupar la capital, lograron tomar las ciudades más importantes del centro del país en poco tiempo.

Juárez decidió dejar la ciudad de México y trasladarse al norte, dando así inicio a un peregrinar que le llevaría a Saltillo, Monterrey, Paso del Norte (hoy Ciudad Juárez)… El gobierno juarista vivió una situación penosa durante todo este tiempo, ya que se encontraba diezmado por las constantes persecuciones de las que era víctima y por el abandono de seguidores del régimen; otros le pedían a Juárez que dejara la presidencia y, para colmo de males, tampoco se contaba con armas, ya que el presidente norteamericano Abraham Lincoln se negó a venderlas.

El triunfo de las armas francesas favoreció el resurgimiento de los proyectos entre algunos mexicanos conservadores, quienes justificaban el fracaso del Primer Imperio con que Iturbide había sido un oportunista que carecía de sangre real, defectos que le impedían poseer la respetabilidad de un verdadero príncipe. El monarquismo mexicano tampoco era nuevo. Desde la década de los cuarenta del siglo XIX, un grupo de monárquicos mexicanos anduvo recorriendo el continente europeo en busca de apoyo para darle a México un nuevo monarca. Dentro de este grupo destacaron José María Gutiérrez Estrada y José Manuel Hidalgo, famosos por ser quienes que se encargaron de entrar en contacto con Napoleón III.

A su llegada a la capital, los soldados franceses organizaron fortificaciones en las cercanías de la ciudad por si Juárez se decidía a atacar, establecieron cortes marciales para juzgar a los opositores a la intervención y tranquilizaron a los compradores de los bienes eclesiásticos al afirmar que no se derogaría la Ley Lerdo por órdenes de Napoleón III.

En cumplimiento con lo ordenado por el emperador francés, Forey organizó un gobierno provisional integrado por políticos, militares y eclesiástico conservadores. También estableció una Junta de Notables para que eligiese la forma de gobierno que iba a tener el país. Este fue plan preparado pues, como se ha visto, Napoleón III quería que México fuera un imperio, pero tampoco deseaba ser visto por los mexicanos como aquel que les había impuesto un emperador; así que, cuando Forey organizó esta Junta, escogió como miembros a una gran mayoría de monárquicos.

Como era de esperarse de los franceses, la Junta de Notables decidió que el gobierno sería una monarquía moderada, hereditaria y con un príncipe católico; que el soberano adquiriría el título de emperador de México; que la Corona imperial sería propuesta (por "sugerencia" de Napoleón III) al príncipe Fernando Maximiliano, archiduque de Austria, y que si éste no pudiese —o no quisiese— tomar la Corona, se le pediría al emperador francés que eligiese a otro príncipe católico. Decidida esta cuestión, los miembros de la junta optaron por enviar una comisión a Europa para ofrecerle a Maximiliano la Corona mexicana.

La política liberal aplicada por los franceses en México generó problemas. El general Bazaine y Pelagio Antonio Labastida y Dávalos, arzobispo de la ciudad de México, no tenían buenas relaciones entre sí y llegaron a tener problemas serios. El general respetó la legislación juarista mientras que el religioso aseguraba que tal decisión debía ser tomada por el futuro emperador y, hasta entonces, debían quedar suprimidas las Leyes de Reforma. El obispo amenazó con cerrar todas las iglesias de la ciudad y el militar amenazó con abrirlas a cañonazos. A final de cuentas, nada de ello sucedió y no hubo cambio legal alguno.

En el aspecto militar, en todo el país se levantaron partidas de guerrilleros que combatieron con gran tenacidad a las tropas francesas.

Capítulo 6

El segundo Imperio y la República Restaurada (1864 - 1877)

El segundo Imperio (1864 - 1867)

En 1863 la comisión mexicana enviada por la Junta de Notables llegó al Palacio de Miramar en Triestre (Italia) para hacer el ofrecimiento formal del trono mexicano a Maximiliano de Habsburgo, hermano del emperador de Austria Francisco José. Fueron a Italia porque entonces aún no se había unificado y Austria ocupaba la parte norte, que era gobernada por Maximiliano. Los miembros de la comisión fueron muy bien recibidos por el noble austriaco, quien, tras recibir la invitación, se mostró un poco reservado. No es que le desagradara ir a México, sino que poco antes los griegos también le habían ofrecido el trono de su país. Caviló poco tiempo y aceptó la responsabilidad de gobernar el país americano. Es un hecho que la aceptación del archiduque austriaco se debió a que pensaba que prefería gobernar en América —había ido tiempo atrás a Brasil—, pues consideraba que ahí tendría un mejor futuro, creía firmemente que esta "aventura" sería exitosa gracias al apoyo francés y, además, que su misión era loable: establecer en México un gobierno que lo salvara del caos y lo incorporara al mundo moderno.

Maximiliano quería estar seguro de que los mexicanos lo aceptarían como emperador, así que puso una condición para aceptar el trono: que la comisión en Miramar (José María Gutiérrez de Estrada, Miguel

El emperador
Maximiliano de
Habsburgo.

Miramón y Juan Nepomuceno Almonte) le mostrase las actas de adhesión del pueblo mexicano y cuando las recibió, en febrero de 1864, aceptó gobernar el país.

Antes de embarcarse a México, Maximiliano marchó a Austria donde fue obligado por su hermano Francisco a renunciar a todos sus derechos sobre el trono austriaco. A continuación, firmó con Napoleón III los Tratados de Miramar, en los que se establecía que habría tropas francesas en México para darle apoyo militar al emperador por seis años; que se le daría un trato preferencial a la oficialía francesa por encima de la mexicana, y que el mando militar quedaría en manos de un comandante francés. En materia económica, Maximiliano reconocía una deuda de 54 millones de pesos, se comprometía a pagar 1000 francos anuales por cada soldado francés en México y a indemnizar a los súbditos franceses afectados por la guerra de intervención.

Maximiliano deseó contar con el apoyo de otras naciones europeas, aunque sólo el papa Pio IX le quiso ayudar a cambio de suprimir las Leyes de Reforma. El emperador mexicano aceptó el requisito, a pesar de que estaba en contra de él, pues consideraba que lo hecho por Juárez en materia religiosa era correcto.

Hechos los arreglos pertinentes, el emperador y su esposa, Carlota Amalia, princesa de Bélgica, zarparon rumbo a México en una nave austriaca. En el viaje, Maximiliano meditó sobre cómo podía combatir la inestabilidad política de su imperio y, en particular, el problema del levantamiento militar juarista. Como creía que el camino más viable era el del diálogo, pensó en escribirle una carta a Juárez para invitarle a formar parte de su gabinete.

En mayo de 1864 llegaron los emperadores a Veracruz. La gente del puerto les dio una fría bienvenida y sólo unos cuantos miembros del gobierno provisional estuvieron ahí para recibirles. Sin embargo, la situación fue cambiando conforme los emperadores se acercaban a la capital del país, pues los actos públicos de adhesión y reconocimiento a las majestades fueron más frecuentes. Al llegar a la ciudad de México tuvieron un recibimiento apoteótico y se levantaron arcos triunfales, templetes y columnas por toda la ciudad en honor a Maximiliano y Carlota.

A los pocos días de haber llegado a la capital, el emperador estructuró su gabinete; en él incluyó a conservadores y liberales moderados pues quería, con ello, mostrar su interés de gobernar para todos los mexicanos. También creó un gabinete de confianza formado por extranjeros liberales, que apoyó los proyectos imperiales encaminados a no ceder frente a las presiones de la Iglesia y los grupos más conservadores.

En cierta medida, Maximiliano era un provocador, pues si bien no les decía a los grupos conservadores que no estaba de acuerdo con ellos, sí se los demostraba con acciones que claramente estaban destinadas a molestarles. Se negó a poner la cruz en el escudo imperial; tampoco quiso firmar con la frase "por la gracia de Dios"; se mostró dispuesto a dar audiencias a los pobres de la ciudad los domingos; elogió en público las virtudes del general liberal Ignacio Zaragoza, y "plantó" por la ciudad estatuas de Morelos y Guerrero cuando supo que la aristocracia mexicana se declaraba iturbidista.

Acciones como las anteriores también dejaban ver que el emperador era liberal y, por ello, estaba deseoso de atraer a los miembros de este grupo a su causa. Como muestra de buena voluntad, el emperador también lesofreció la amnistía y mandó como embajador de México en Prusia al general conservador Miguel Miramón en lo que era un exilio disfrazado.

Los liberales radicales no aceptaron estos ofrecimientos, pues provenían de un gobierno extranjero e ilícito que había depuesto al gobierno legítimo de México, es decir, a Juárez. La situación para ellos no era fácil ya que las persecuciones, falta de armas y deserciones hicieron que llevaran una vida itinerante. Entonces no era raro ver un carruaje negro que circulaba a toda prisa por el territorio nacional; ese era el coche de Juárez (hoy expuesto en el museo del Castillo de Chapultepec) y, para muchos, era la sede del gobierno legítimo de México.

Este panorama pareció aclararse un poco cuando, en 1865, finalizó la guerra civil estadounidense. Sin embargo, la cuestión no era tan simple, pues el triunfante gobierno de Estados Unidos no estaba dispuesto a ayudar a Juárez sin sacar provecho de la situación. Los negociadores norteamericanos lograron que se firmara un convenio en el que se permitía a los estadounidenses fraccionar territorios en Baja California y les daba concesiones para construir el ferrocarril El Paso-Guaymas y el de Matamoros-Mazatlán.

Los problemas para Juárez siguieron cuando, en diciembre de 1865, optó por prorrogar su periodo constitucional. La decisión generó divisiones pues, mientras que el presidente la justificaba refiriéndose a la inexistencia de un Congreso al que pudiera convocar y que avalara la elección, sus detractores liberales se opusieron rotundamente a la decisión por ser anticonstitucional. Estaban en disputa la razón de Estado contra la legalidad y ganó la primera, por lo que Juárez pudo seguir teniendo el poder ejecutivo del país.

Mientras la guerra continuaba, Maximiliano trabajaba para establecer en México un verdadero gobierno que permitiera su desarrollo y consolidación como potencia en el ámbito latinoamericano, primero, y mundial posteriormente. En estos momentos el emperador contaba con más de 60,000 soldados para apoyar su trono; la mitad extranjeros y los restantes mexicanos. En octubre Maximiliano firmó, después de haber sido convencido por el jefe francés Bazaine, una ley por la que todos los opositores al imperio que seguían sobre las armas merecían ser fusilados. Esta ley fue aplicada inmediatamente siendo pasados por las armas varios jefes destacados y oficiales liberales.

Como su imperio aún no tenía una Constitución, pero debía regirse por leyes para evitar los problemas sucedidos durante el gobierno de

100

Iturbide, promulgó en 1865 el Estatuto Provisional del Imperio Mexicano, un documento de corte liberal en el que se privilegiaban asuntos tales como las garantías individuales y la libertad de cultos.

Con relación a los indígenas, los emperadores mostraron un espíritu filantrópico con el que pretendieron mejorar las condiciones de vida de estos grupos, pero sin hacer cambios estructurales. El emperador también promulgó una serie de leyes encaminadas a hacer menos penosa la vida de los campesinos indígenas, pues ordenaban la abolición de los castigos corporales, la limitación de los horarios de trabajo; la eliminación de las tiendas de raya y del pago en especie; la prohibición de la leva y, por último, el reparto de terrenos baldíos entre los campesinos que no fueran propietarios. Desgraciadamente, la existencia de estas leyes no impidió que los males que intentaban corregir continuaran.

Los soberanos también se preocuparon por embellecer la ciudad de México, pues no tenía la faz de lo que debía ser la capital de un imperio tan grandioso como el mexicano. No sólo la adornaron con estatuas, parques y jardines, también cambiaron su fisonomía al mandar construir la avenida de los emperadores (hoy en día de la Reforma) que iba desde Chapultepec hasta el centro de la ciudad. Tal vez el monumento más representativo de esta época es el Castillo de Chapultepec, que fue la residencia de los emperadores. Esta construcción se hizo sobre lo que había sido una pequeña casa de verano de los virreyes y, posteriormente, el heroico Colegio Militar. Aunque el edificio fue habitado poco tiempo, la riqueza de su construcción y decorados, así como su tamaño, lo elevan al rango de uno de los monumentos arquitectónicos más bellos e importantes de México.

En cierta medida la relación del emperador con la Iglesia nunca fue buena porque a Maximiliano no le importó. Sin embargo, y como consecuencia de la visita que había hecho a Pío IX años atrás, el papa envió a fines de diciembre de 1864 a monseñor Meglia, cuyas instrucciones eran específicas y muy claras: debía ayudar a revocar las Leyes de Reforma, lograr la devolución de los bienes quitados a la Iglesia, que el Estado reconociera el derecho de la Iglesia a poseer bienes y que respetase su autonomía; todo ello con la finalidad de que El Vaticano y México pudieran formalizar sus relaciones. El emperador, por convicciones propias, había tomado la decisión de respetar los decretos de desamortización y nacionalización de los bienes eclesiásticos emitidos por Juárez, pues veía como necesario para la consolidación de su imperio el sometimiento de la Iglesia al Estado mexicano.

Cuando el enviado del Papa y el emperador se entrevistaron, las discrepancias mencionadas salieron a flote y, como Maximiliano no quería perder el apoyo del Papa, pero tampoco deseaba ceder ante sus presiones, presentó a monseñor Meglia un proyecto de concordato o convenio que debería guiar las relaciones entre el poder civil y el religioso.

El documento era inaceptable para la Iglesia, pues en él el gobierno ganaba todo y el clero lo perdía todo. Meglia se negó a firmarlo. Maximiliano, por temor de haber perdido el apoyo de El Vaticano, envió una comisión para que el Papa aceptara el proyecto. El vicario de Cristo lo rechazó, por ser inadmisible como fundamento de las relaciones entre Iglesia y Estado; acto seguido, sacó de México a Meglia y rompió relaciones con el país.

En materia económica las cosas tampoco marcharon bien. Napoleón optó por encargar a franceses solucionar la situación financiera de México, pero fallaron al hacerlo, pues si en tiempos de paz no había sido posible generar la riqueza necesaria para lograr la autosuficiencia del país, en el transcurso de la guerra la situación era más crítica. Maximiliano, por ende, tuvo que recurrir al endeudamiento externo. Se pidieron a Francia dos préstamos por un monto total de 46 millones de pesos, de los cuales sólo se otorgaron 16. A pesar de la entrada de este dinero, el déficit del imperio no disminuía y seguía siendo un lastre para el desarrollo del país. Maximiliano responsabilizaba al ejército francés de esta situación, pues afirmaba que sus gastos eran excesivos; a su vez, los líderes militares culpaban al emperador porque gustaba de gastar los fondos en cosas tan triviales como la construcción de palacios, calles, estatuas y teatros. Es un hecho que esta crisis económica crónica por la que atravesó el segundo Imperio puede ser considerada como uno de los factores de su desaparición.

La situación de Maximiliano empeoró considerablemente en 1867. En principio, perdió el apoyo francés. En enero, un enviado deNapoleón III se entrevistó con él para darle a conocer sus instrucciones: arreglar con Maximiliano el retiro de las tropas francesas de México.

El gobernante francés violaba lo pactado con el emperador mexicano, porque el peligro de una guerra con Prusia era inminente y deseaba estar preparado para ella. Éste fue un duro golpe que Maximiliano jamás creyó recibir de quien era el único soporte militar firme de su imperio. Maximiliano pensó en abdicar, pero su esposa, la emperatriz Carlota, decidió ir a París a convencer a Napoleón III para que siguiera sosteniendo el trono mexicano. Pero sus deseos culminaron en un fracaso.

Tras perder el apoyo militar francés, el emperador mexicano buscó ayuda por otros lados. Su cuñado, el emperador de Bélgica, no mostró interés por socorrerlo; su hermano quiso enviarle soldados, pero las presiones de los Estados Unidos impidieron que lo hiciera. Maximiliano envió a Carlota con el Papa Pío IX para ver si podía obtener su apoyo (el cual "obligaría" a los otros países católicos a brindarle auxilio a Maximiliano), pero éste jamás recibió a la emperatriz mexicana y, después de fracasar en sus gestiones, ésta sufrió varios ataques de locura de los que nunca se recuperó.

Frente a esto, Maximiliano buscó acercarse a los conservadores. Hizo a un lado su espíritu liberal y derogó algunas leyes anticlericales. Con ello sólo consiguió caer en manos de los conservadores más radicales, grupo que logró impedir dos veces que Maximiliano abdicase y se fuera del país.

Por su parte, Benito Juárez seguía en la lucha y contaba con el apoyo de los militares que le habían mostrado su lealtad durante la Guerra de Reforma. Gracias a un préstamo estadounidense de 20 millones de dólares, pudo conformar ejércitos regulares bien adiestrados, entre cuyos líderes se encontraba Porfirio Díaz, militar que tuvo una destacada actuación en el sitio de Puebla. La inyección de nuevos recursos económicos y la reorganización del ejército fueron factores que dieron una notable superioridad a las tropas republicanas sobre las imperiales. En poco tiempo, los liberales estaban logrando recuperar el terreno perdido en el centro y sur del país, de donde los soldados franceses se iban retirando.

Como último recurso, Maximiliano se puso a la cabeza de sus tropas mandadas por los generales Méndez, Miramón y Mejía, y se dirigió a la ciudad de Querétaro, urbe que por su geografía era más fácil de defender que la ciudad de México, para entablar la última y decisiva, batalla contra sus enemigos. En febrero de 1867, el emperador llegó a Querétaro y durante los meses de marzo y abril los republicanos fueron cercando la ciudad, hasta que, después de más de setenta días de sitio, lograron tomarla. El 15 de mayo de 1867 Maximiliano y sus generales Mejía y Miramón se entregaban a las tropas juaristas que eran mandadas por el general Mariano Escobedo.

Se les aplicó la ley que Juárez había emitido en tiempos de la segunda Intervención francesa, misma que establecía que serían ajusticiados todos aquellos que colaborasen con el enemigo. El primero en ser fusilado fue el general Méndez y, fracasados todos los esfuerzos por salvarles la vida, el 19 de junio fueron pasados por las armas los tres en el Cerro de las Campanas. El cadáver de Maximiliano fue enviado poco tiempo después a Europa en el mismo buque austriaco que lo había traído a México.

Hombres ilustres de la talla de José Garibaldi y Víctor Hugo, potencias como los Estados Unidos, Inglaterra y Francia, insistieron para que se le otorgase el indulto a Maximiliano, pero Juárez se mostró firme y dejó claro al mundo que México estaba decidido a mantener su independencia a cualquier precio. Juárez comentó: "No ha querido, ni ha debido antes el gobierno, y menos debería en la hora del triunfo de la república, dejarse inspirar por ningún sentimiento de pasión contra los que lo han combatido. El gobierno ha demostrado su deseo de moderar en lo posible el rigor de la justicia, conciliando la indulgencia con el estrecho deber de que se apliquen las leyes, en lo que sea indispensable, para afianzar la paz y el porvenir de la nación".

Tras años de ausencia, el 21 de junio de 1867, el ejército federal, encabezado por Porfirio Díaz, hacía su entrada a la ciudad de México. Tres semanas después haría lo propio el presidente de la república mexicana, Benito Juárez.

La República Restaurada (1867-1877)

El triunfo de las ideas republicanas frente a las monárquicas, aunado a la continuidad de Juárez en el poder, fueron factores que favorecieron el restablecimiento definitivo de la república en México. Haber solucionado la cuestión de la forma de gobierno permitió a las administraciones

Benito Juárez.

posteriores la posibilidad, por primera vez desde la independencia, de contar con un proyecto de nación y gobierno en el que quedaban comprendidos los aspectos políticos, sociales, culturales y económicos.

Cuando Juárez reasumió el poder, lo primero que hizo fue hacer del conocimiento de sus compañeros de armas y de partido el programa que él y sus sucesores deberían implementar para construir un México diferente, encaminado por las vías de la modernidad. Las propuestas del programa juarista eran las siguientes: en materia política proponía la aplicación férrea de la Constitución de 1857, fortalecer al federalismo y reducir al ejército; en lo social se deseaba promover la inmigración —primordialmente europea—, la pequeña propiedad y el respeto a las libertades del individuo; en el ámbito de la economía se hablaba de atraer capitales extranjeros, construir el ferrocarril, favorecer el desarrollo industrial e implementar nuevas técnicas de cultivo; respecto a la cultura, se deseaba llevar la educación a todos los mexicanos, fomentar el nacionalismo en las letras y en el arte, así como combatir el indigenismo, por ser considerado como un lastre para el desarrollo nacional.

Estas propuestas elaboradas por Juárez eran muy alentadoras, más aún si se considera el contexto imperante en el país. Hordas de asaltantes y guerrilleros conservadores asolaban los caminos y ciudades; ausencia de libertad de tránsito de mercancías y personas por la ruta de México-Veracruz; disputas entre los liberales, ahora entre dos tendencias diferentes la civilista y la militarista. Juárez, perteneciente a la primera, no confiaba en los militares por ser extremadamente ambiciosos; por su parte, los militares desconfiaban de la capacidad de los civiles en lo que al gobierno se refiere y temían que éstos no les recompensaran por su labor realizada contra Maximiliano.

Los temores de los militares no eran del todo errados, pues Juárez, en uno de sus primeros decretos, ordenó la reducción del ejército en 75%. El presidente justificó la medida alegando que de esta manera disminuirían los gastos de su administración y los recursos ahorrados podrían destinarse a otros rubros, pero en el fondo era una medida destinada a restarle fuerza al ejército y a someter a aquellos militares que habían mostrado mayor independencia del gobierno.

Las quejas de los militares no se hicieron esperar y, para afrontar esta situación, el presidente llevó a cabo una política de conciliación, que tiempo después seguiría Porfirio Díaz; a los oficiales de alta graduación se les colmó con honores, condecoraciones y otros privilegios en un intento por atenuar su descontento, mientras que a otros, aquellos que de manera pública mostraban su disconformidad, se les reprimía con severidad.

Un cambio fundamental que llevó a cabo Juárez para democratizar la vida política del país fue la reforma electoral de 1867, pensada para las elecciones que se iban a llevar a cabo en diciembre del mismo año. A través de ella los varones mayores de 25 años, sin importar que fueran propietarios o no, podrían votar para escoger de manera directa al presidente, los diputados y los magistrados de la Suprema Corte de Justicia.

También llevó a cabo una serie de reformas constitucionales, previas a las elecciones, destinadas a fortalecer las instituciones políticas existentes, regular las funciones de los poderes y dar más atribuciones al ejecutivo, este último punto esencial —según Juárez— para poder gobernar al país, pues sólo con un presidente fuerte se podría llevar a cabo la centralización del poder necesaria para ordenar la nación.

En congruencia con esta postura, Juárez creó la Cámara de Senadores, organismo encargado de declarar desaparecidos los poderes constitucionales de los estados, nombrar a los gobernadores provisionales y resolver los problemas políticos existentes entre los poderes estatales cuando alguna de las partes en conflicto así lo pidiese.

También trabajó por el progreso económico y material del país, buscando reducir la deuda externa llevando unas finanzas más ordenadas y austeras.

Ésta fue la época en la que se comenzaron a construir más caminos y puertos por todo México para reanimar así la vida económica nacional y aumentarla con el extranjero. Bajo las presidencias de Juárez y Lerdo de Tejada se impulsaron los puertos de Mazatlán, San Blas, Manzanillo, Acapulco, Zihuatanejo, Puerto Ángel, Veracruz y Matamoros.

En el campo, Juárez tenía el proyecto de crear una gran clase media rural —copia de los granjeros norteamericanos— que fuera independiente y que acabara con la producción de autoconsumo. La idea fracasó, pues si bien las autoridades comenzaron a vender las tierras quitadas a la Iglesia, éstas fueron a parar a manos de los grandes propietarios, quienes aprovecharon la ocasión para incrementar la extensión de sus latifundios y acabar así con el sueño de la clase media rural.

Dentro de la educación, la historia y la literatura adquirieron una gran importancia. Se convirtieron en los ámbitos idóneos para formar en los jóvenes un orgulloso nacionalismo. La literatura, de corriente costumbrista, narraba cómo era la vida de los distintos grupos sociales del país (ricos, pobres de las ciudades, pobres del campo, etc.) en un afán por encontrar lo verdaderamente mexicano.

A pesar de las graves carencias económicas, la política educativa del régimen tuvo logros tales como la creación de la Escuela Nacional Preparatoria y la aparición de escuelas mixtas, que se presentaban como una opción para que las mujeres también pudieran tener la oportunidad de formarse.

De esta manera transcurrió la presidencia de Juárez. Cuando ésta llegaba a su fin, en 1871, dos eran los más sonados candidatos a la presidencia: el general oaxaqueño Porfirio Díaz y Sebastián Lerdo de

Tejada; sin embargo, al poco tiempo, Benito Juárez también hizo pública su intención de reelegirse. Su candidatura asombró a muchos por tratarse de una violación a la Constitución de 1857, a pesar de que Juárez justificara el hecho aduciendo que cuatro años era poco tiempo para poder llevar a la práctica su proyecto de nación.

Lerdo de Tejada, secretario de Relaciones Exteriores y presidente de la Suprema Corte de Justicia, había realizado una campaña electoral entre los civiles enemistados con Juárez desde años atrás y había convencido al presidente de poner a amigos suyos en puestos políticos importantes. Por su parte, Porfirio Díaz representaba a los militares resentidos contra Juárez por su política antimilitarista y centralizadora y, a la vez, a una generación de jóvenes liberales que pensaban que era el momento de renovar a la clase política gobernante.

En junio de 1871 se realizaron las elecciones en un clima tenso, generado por las constantes irregularidades y actos de violencia que se dieron en el proceso. Juárez obtuvo el triunfo, quedando en segundo y tercer lugar Díaz y Lerdo, respectivamente.

El rumor de que se había cometido un fraude contra Porfirio Díaz se expandió rápidamente en el ejército y algunos militares adictos a él no tardaron en levantarse en armas en el centro y norte del país, mientras que el propio Porfirio Díaz proclamaba en Oaxaca el Plan de la Noria y se levantaba. Este plan criticaba a Juárez por ser un dictador, lo desconocía como autoridad legítima del país y abogaba por un mayor respeto a las libertades de los ciudadanos.

El levantamiento jamás tuvo un apoyo masivo (ni de civiles, ni de militares) ni se extendió por el país. Lo que lo acabó fue el fallecimiento de Juárez, en julio de 1872, pues muerto el presidente la asonada perdía su razón de ser; quien se vio beneficiado por esta muerte fue Lerdo de Tejada, pues por ser el presidente de la Suprema Corte de Justicia le correspondía ser presidente interino.

Para calmar la situación en la que estaba inmerso el país, declaró el indulto para todos los levantados, perdonándoles la vida y restableciendo sus derechos políticos. Fue así como el presidente interino acabó con el levantamiento porfirista y, consecuentemente, Porfirio Díaz tuvo que someterse al gobierno sin que por ello declinasen sus aspiraciones políticas.

A continuación, Lerdo de Tejada se vio obligado, pues la Constitución así lo indicaba, a convocar las elecciones presidenciales, que se llevarían a cabo en octubre de 1872. El contexto en el que tuvieron lugar fue similar al de las elecciones pasadas, pues el fraude y la violencia estuvieron presentes. Los resultados eran de preverse, pues Lerdo obtuvo veinte veces más votos que el militar. Díaz consideró que le habían engañado, pero nunca lo expresó en público y mucho menos consideró organizar otro levantamiento, ya que estaba seguro de que fracasaría estrepitosamente, ya que, tras la amnistía, ningún militar le seguiría.

La presidencia de Lerdo fue poco diferente a la de Juárez. Mantuvo el gabinete juarista, siguió centralizando el poder en la figura del ejecutivo, también fomentó la educación y el proyecto de fomento de la migración siguió sin tener éxito y continuó con el mismo programa económico (construcción del ferrocarril y telégrafo) y fracasos (atracción de capitales extranjeros e incremento del latifundismo). A simple vista parecería ser que la relación que hubo entre ambos personajes era tan estrecha que ni en cuestiones de política tenían discrepancias.

Tal vez sean dos las mayores diferencias entre Juárez y Lerdo: la forma en la cual el segundo ejerció el poder y su postura frente a la Iglesia católica. Lerdo jamás se preocupó por aparentar que su gobierno era democrático, pues desde el inicio mostró manifiestamente actitudes de dictador, como la imposición de candidatos, remoción arbitraria de funcionarios públicos, la violación sistemática de las leyes, etc. Respecto a la Iglesia, en sus últimos años de gobierno Juárez fue tolerante con esta institución, a tal grado que hasta les devolvió el derecho de votar a sus miembros; en cambio, Lerdo radicalizó la postura del gobierno en materia religiosa desde el inicio de su gestión, al enviar al Congreso una iniciativa de ley en la que se ordenaba la expulsión de los jesuitas de territorio nacional, acto que generó mucho malestar entre los prelados eclesiásticos por tratarse de una clara agresión del Estado contra la Iglesia Sin embargo, ello sólo era el principio de una política anticlerical cuyo punto culminante sería la emisión de un decreto en el que elevaba a rango constitucional las Leyes de Reforma.

Los últimos meses de la gestión de Lerdo fueron muy inestables. Levantamientos liberales y conservadores se alternaban, todos con un mismo objetivo: intentar deponer al presidente. A Lerdo ello no le preocupaba, pues sabía que mientras el ejército estuviese a su lado —como hasta entonces había sucedido— todas estas muestras violentas de enojo no triunfarían. Y así fue.

Aquellos opositores a Lerdo veían en Porfirio Díaz a un líder natural que, en caso de proponérselo, podría encabezar un levantamiento en contra del ejecutivo. Por su parte, Díaz no ocultaba sus aspiraciones presidenciales y sólo esperaba el momento propicio para acaudillar a los opositores del lerdismo.

En enero de 1876, a los pocos días de que Lerdo hiciera público su deseo de reelegirse para un segundo periodo, Porfirio Díaz no hizo oídos sordos al descontento popular y se levantó en armas enarbolando el Plan de Tuxtepec. En el plan se desconocía al gobierno de Lerdo, así como a todos los funcionarios que fueran fieles a éste; se nombraba a José María Iglesias como presidente interino por ser el presidente de la Suprema Corte de Justicia, y se proponía el respeto a la Constitución de 1857, especialmente en lo referente a la no reelección del ejecutivo.

Porfirio Díaz marchó a Tamaulipas para iniciar la rebelión, proclamando un manifiesto donde se establecía la "no-reelección", pero él y sus hombres fueron derrotados por las tropas del gobierno. Por lo que hubo de marchar a Oaxaca.

Como podía esperarse, la revolución de Tuxtepec logró ser exitosa, pues generó el estallido de otros pronunciamientos locales que dieron al levantamiento un carácter nacional. Ello no importó a Lerdo quien, tras un proceso electoral de legalidad muy dudosa, fue ratificado por el Congreso como presidente para el periodo 1876-1880. José María Iglesias no aceptó la legitimidad ni del proceso ni del presidente, y publicó en octubre un manifiesto en el que, frente a las irregularidades imperantes en el país, se autonombraba como presidente interino de México, recordando que era presidente de la Suprema Corte de Justicia.

Cuando Lerdo al fin se dio cuenta de la gravedad de la situación, poco pudo hacer para resolverla de manera favorable. Los militares que no eran porfiristas se habían proclamado iglesistas y sólo unos pocos efectivos aún seguían siéndole fieles. Aunque sus amigos le recomendaban que dejara el poder y se exiliara, el presidente se negó, pues ello podía ser considerado como un reconocimiento implícito de su ilegalidad; al contrario, optó por tomar las armas e intentar detener a sus enemigos. En noviembre de 1876 se enfrentaron, el ejercito rebelde del general Díaz y el gobiernista del presidente Lerdo, en la hacienda de Tecoac, Tlaxcala, y tras una cruenta batalla, el primero salió triunfante. Lerdo no tuvo más opción que renunciar a la presidencia y exiliarse en Estados Unidos.

José María Iglesias aplaudió el triunfo inicialmente pero, cuando cayó en la cuenta de que Díaz no dejaría las armas hasta llegar a la presidencia, quiso oponerle resistencia. Por su parte, Díaz sabía que las fuerzas de este contrincante eran muy limitadas e inició pláticas con él hasta llegar a convencerle de que era mejor que depusiera las armas, pues no tenía con qué ganarle ya que sólo una minoría del ejército estaba de su lado. Iglesias comprendió la situación y, a inicios de 1877, renunció a la Suprema Corte de Justicia y dejó el país acompañado por algunos partidarios, entre ellos el general Mariano Escobedo.

A continuación, el presidente interino de México, Juan Méndez —impuesto por Díaz—, procedió a convocar elecciones que le dieron un triunfo contundente al general Porfirio Díaz, quien quedó electo como presidente del país para el periodo 1877-1880.

Capítulo 7

El Porfiriato (1877-1910)

Los inicios (1877-1888)

La llegada del general Porfirio Díaz a la presidencia del país fue similar a la de otros presidentes en cuanto a que, después de haber sostenido una cruenta lucha para ocupar el cargo, una vez en él tuvo que afrontar problemas severos.

En esta primera presidencia, Díaz poco pudo hacer para gobernar. Carente de experiencia política y de aliados fuertes en la sociedad civil, el general oaxaqueño no tuvo tiempo para preocuparse por el desarrollo económico, social y cultural del país, e hizo lo que hasta entonces sabía hacer: apoyarse en el ejército para controlar a los rebeldes y comenzar a centralizar el poder. La primera prueba ocurrió en 1878 cuando el general Escobedo regresó a México intentando proclamar a Lerdo como presidente. Fue derrotado y posteriormente puesto en libertad por orden de Díaz.

Al respecto, aunque el presidente era de la idea de que era necesario pacificar y unificar al país para que la Constitución tuviera vigor, especialmente las garantías individuales, no dudó en echar mano de la fuerza para la lograr este objetivo. Combatió sin cuartel contra los lerdistas, levantados en armas por todo el país. A la par, aplicó a este grupo una política conciliatoria que le generó más beneficios que la lucha armada; para ello pactó con su líder, Matías Romero Rubio, y dio amnistía a sus seguidores.

Cuando este periodo llegaba a su fin, comenzó a haber cierta inquietud en la sociedad pues, mientras unos aseguraban que el caudillo se reelegiría, otros lo negaban tajantemente. El propio Díaz se encargó de disipar las dudas al afirmar en público que no buscaría la reelección, por ser contraria

General
Porfirio Díaz.

a lo estipulado en su Plan de Tuxtepec. La duda entonces fue ¿quién sería su sucesor? Pero ésta no duró mucho tiempo, pues desde el inicio mostró simpatías por su amigo Manuel González, quien terminaría siendo electo presidente de México para el periodo de 1880-1884, a través de un proceso electoral similar al de los de los tiempos de Lerdo.

La tarea de Manuel González como presidente fue continuar con la labor iniciada por Díaz tres años antes, especialmente en lo referente a la pacificación de México, pues logró someter a los caciques de Puebla, Jalisco y Zacatecas. Sin embargo, fueron varios los errores que cometió y que, unidos a su falta de carisma, hicieron que no contara con apoyo popular.

Los más suspicaces decían que Díaz no había intervenido para que González corrigiera el rumbo, que por el contrario le había permitido actuar libremente para que él y los miembros de su grupo se desprestigiaran. Cierto o no, el hecho es que González tuvo tantos desaciertos que fueron muchos los que pidieron el regreso de Díaz al ejecutivo, para lo cual hubo que hacer las reformas necesarias a la Carta Magna, a fin de que fuera válida la reelección no inmediata y así Porfirio Díaz pudiera ocupar de nuevo la presidencia del país.

Al asumir su segundo periodo presidencial (1884-1888) Díaz era un hombre y político diferente. Mientras González fue presidente de México, él se preocupó por formarse como político, pues fue gobernador de Oaxaca entre 1881 y 1883. También contrajo segundas nupcias con Carmen Romero Rubio, una dama que lo ayudó a superarse y lo inició en el mundo social que, aunque no le gustaba, consideraba políticamente valioso.

En este periodo, Díaz mostró que estaba dispuesto a utilizar la represión y las prácticas antidemocráticas cuantas veces fueran necesarias si con ello lograba centralizar el poder y ordenar el país. Impuso al presidente y a los regidores del Ayuntamiento de la ciudad de México, así como a los gobernadores en varios estados, mientras que a las autoridades y funcionarios opositores los eliminaba política o físicamente. A la prensa opositora también la trató con rudeza, y encarceló a los periodistas y editores que más críticos se mostraban con él.

Díaz también siguió en su campaña de pacificación. Incrementó la lucha contra aquellos individuos que continuaban imponiendo el desorden y el bandidaje que asolaba al país y combatió con toda energía los levantamientos indígenas (mayas, mayos y yaquis).

Las oligarquías regionales eran un peligro por la autonomía que mostraban frente al poder central. Para someter a estos grupos, Díaz siguió una política dual, ya que en principio buscó comprar su lealtad por medio de la concesión de privilegios de toda índole; pero, como algunos se negaron a pactar, recurrió entonces a la represión violenta como otro instrumento de convencimiento.

También buscó un acercamiento con la Iglesia pues, aunque era un liberal radical, la experiencia de Juárez le había mostrado que más valía tener a esta institución como aliada que como enemiga. Las autoridades políticas y religiosas llegaron a un acuerdo por el que, mientras la Iglesia no se metiera en cuestiones del Estado, éste no se entrometería en asuntos religiosos, y cuanto más ayudara el clero al gobierno, éste sería más tolerante con él. Poco a poco el presidente controlaba o sometía a sus enemigos potenciales, a la par que centralizaba el poder en su figura. Faltaba poco tiempo para que sujetara a todas las autoridades políticas de relevancia en el país.

Al final de este periodo, Porfirio Díaz sólo había empezado a trabajar en sus planes y aún le restaba mucho por hacer. Ésa fue la razón por la que el Congreso aprobó el proyecto de reforma constitucional presentado por el ejecutivo, en el que proponía su reelección inmediata de únicamente otro periodo. Por medio de un proceso electoral, Díaz y sus hombres se impusieron a los candidatos de oposición.

La economía en esta época comenzó a despegar, pero con dificultades. La construcción de ferrocarriles fue importante al respecto.

Respecto a las finanzas públicas, cuando Porfirio Díaz asumió la presidencia del país en 1877, nombró como secretario de Hacienda a Matías Romero, político cuyas mayores preocupaciones fueron las de lograr un equilibrio presupuestal y dar solución al problema de la deuda pública mexicana. En tres años poco se pudo hacer para arreglar tales cuestiones y, al asumir la presidencia Manuel González (1880-1884), lo hecho por Romero se vino abajo pues no se podían realizar los pagos al extranjero y tampoco pedir préstamos a otros países. Fue por ello que se decidió renegociar la deuda inglesa, que fue un fracaso ya que el gobierno reconoció una deuda superior a la que tenía con Inglaterra.

En esta época pocos países ricos invertían en México, pues la nación carecía de las garantías de estabilidad política y de paz social necesarias. Esto era, en cierta medida, herencia del fusilamiento de Maximiliano, que fue visto en Europa como un acto de barbarie producido por la falta de orden político.

Entre 1880 y 1884 se comenzó a conformar el sistema bancario mexicano. Se creó en 1881 el Banco Nacional Mexicano gracias al apoyo del Banco Franco-Egipcio de París; un año después, los bancos Mercantil, Agrícola e Hipotecario con capital español; el Hipotecario y el de Empleados, ambos subsidiarios del de Londres y México. Aunque la banca estaba creciendo considerablemente, ello no era suficiente para echar a andar la economía nacional. Desde el inicio de su presidencia, la minería fue una preocupación para Díaz, por ello trató, por primera vez en la historia, de reorganizarla para incrementar su producción y obtener más ingresos por concepto de exportación. Claro está que en esta época de falta de liquidez este objetivo era difícil de lograr.

Como había sucedido en tiempos de Juárez y Lerdo, durante el Porfiriato se pensó que con la construcción del ferrocarril llegaría el progreso, razón por la cual este medio de transporte recibió un gran apoyo que, desgraciadamente, no pudo ser cristalizado por la falta de capitales. En esta época también se hizo hincapié en la cuestión del latifundismo. Como esta forma de producción era la única que hacía del campo un negocio rentable, el régimen favoreció su crecimiento a través de las compañías deslindadoras. Éstas estaban encargadas de medir los terrenos baldíos y fraccionarios para que, posteriormente, el gobierno los vendiera a los particulares.

El afianzamiento (1888-1904)

A partir de la tercera reelección de Díaz hubo tal persistencia de ideas y proyectos que sólo se puede ver el gobierno de este general como continuo —en 1890 reformó la Constitución para que fuera válida la reelección permanente— la que no se transformaría significativamente hasta el inicio del siglo XX.

El proceso de pacificación continuó sin problemas, pues cada vez eran menos los grupos e individuos que recurrían a los levantamientos, Sin embargo, el grupo que más levantamientos protagonizó, y que por tanto fue más reprimido, fue el de los indígenas, que como consecuencia de la modernización económica del país continuamente estaban siendo despojados de sus tierras.

La década de los noventa fue la época de oro del Porfiriato, pues el presidente consolidó su poder al apoyarse en un nuevo grupo conocido como "los científicos", llamados así por su creencia de que a través de la ciencia se podían solucionar todos los males de la humanidad. Algunos de los científicos más destacados eran Francisco Bulnes, Ramón Corral, Enrique C. Creel, José Ives Limantour, Porfirio Parra, Justo Sierra, Emilio Rabasa, José López Portillo y Rojas, Joaquín Baranda y Diódoro Batalla. Esta gente —que carecía de poder político— logró ser un pilar del desarrollo económico del país, pues controlaban el sistema bancario y fungían como intermediarios entre el gobierno y los inversionistas nacionales y extranjeros.

A mediados de esta década Díaz tenía 60 años, lo que para la época era una edad considerable. Los beneficiarios económicos y políticos del régimen temían que la muerte del presidente estuviera cerca y que, si no se tomaban acciones al respecto, el país podría caer en el caos que por años le había caracterizado. Se le pidió que aceptara la creación del cargo de vicepresidente, que éste fuera ocupado por alguien de su confianza y que lo preparara para ser su sucesor. Díaz, receloso de que su vicepresidente quisiera quitarle el poder, se negó rotundamente a ello y sólo permitió algunos pequeños cambios en la Constitución para que, en caso de faltar el presidente, ocupase su puesto el secretario de Relaciones Exteriores, o el de Gobernación si la cartera anterior estuviera desocupada o su titular impedido.

Los últimos cuatro años del siglo XIX fueron de gran agitación social en el ámbito nacional. En principio, la sociedad estaba cansada de la dictadura de Díaz pues, a pesar de los éxitos económicos que había generado, no soportaba la farsa cuatrienal de las elecciones y clamaba por una verdadera democracia, aunque tampoco se atrevió a desafiar abiertamente al régimen. Por otra parte, los indios yaquis (habitantes del estado de Sonora) se levantaron en armas de nuevo en 1899 para evitar que se les despojara de sus tierras y del usufructo del río Yaqui en beneficio de los latifundistas. Su ejemplo fue seguido por los indígenas de Oaxaca, Veracruz y Yucatán.

Algunos políticos también criticaban al régimen. Los conservadores tildaban a Díaz de ser un radical y de haber impuesto el laicismo; los liberales, por el contrario, lo acusaban de haberse coludido con la ideología y las prácticas conservadoras. Estas críticas y manifestaciones de descontento social poco importaban al presidente, pues estaba seguro de que lo que estaba haciendo era lo correcto para el bien del país.

En 1903, y con la idea de que sería necesario gobernar por otro periodo más, Díaz aceptó la creación del cargo de la vicepresidencia, pues se dio cuenta de que era necesario para evitar problemas en caso de fallecer estando en funciones. Pero, a cambio, exigió que se extendiese el periodo presidencial a seis años; exigencia que los porfiristas aceptaron con agrado.

Este fue también un buen momento para la economía nacional. Si bien ya desde el periodo anterior Díaz había trabajado para fortalecerla, fue ahora cuando sus beneficios se pudieron sentir al fin. En 1888 el gobierno de Díaz comenzó a llevar a cabo una política de reducción de gastos gubernamentales y de incremento de los impuestos y exportaciones para poder saldar la deuda pública y lograr nivelar el presupuesto, objetivos que se cumplirían en 1894, gracias a la intervención del secretario de Hacienda, José Ives Limantour, un conocedor de las finanzas que logró obtener un superávit al reorganizar la Secretaria. Con este superávit, el gobierno pudo realizar más obras de infraestructura en las ciudades, como ponerles el alumbrado eléctrico. Parte del éxito financiero anterior se debió al arribo de capitales extranjeros a México. Los esfuerzos de Díaz por pacificar y estabilizar a la nación se difundieron por el mundo y generaron la confianza suficiente para que los inversionistas extranjeros confiaran e invirtieran paulatinamente sus capitales en el país.

Con la política de deslinde de los terrenos baldíos se favoreció la formación de latifundios nacionales y extranjeros, mismos que se convertirían en la base de la agricultura nacional y permitirían la consolidación de una aristocracia terrateniente. A pesar de que existían latifundios altamente productivos porque aprovechaban la totalidad de sus tierras, muchos latifundistas sólo se preocupaban por cultivar una pequeña porción de su terreno y se conformaban con producir lo necesario para poder llevar un nivel de vida alto, a costa de la explotación sufrida por sus campesinos, que trabajaban de sol a sol y vivían endeudados gracias a las tiendas de raya. Este tipo de tiendas vendía a los campesinos productos básicos y, cuando éstos no podían comprarlos, les fiaban; con ello quedaban endeudados a perpetuidad. Cabe resaltar que las deudas eran hereditarias.

El final (1904-1911)

A diferencia de la década anterior, a partir de la primera del siglo XX, el gobierno mostró preocupación por reprimir de cualquier forma las crecientes muestras de descontento que diversos sectores de la sociedad mexicana manifestaban. Se amplió el número de policías en las ciudades importantes, se abrieron nuevos penales, comolos de las Islas Marías y el de Lecumberri (actual Archivo General de la Nación), y se giraron las órdenes a las autoridades locales y regionales de que no fueran tolerantes con los "subversivos", esto es, que los reprimieran rápidamente.

A pesar de ello, las muestras de descontento no pudieron ser aplacadas. Prueba de esto fue el movimiento huelguístico de Cananea en 1906 y, como la compañía que explotaba la mina era norteamericana, el gobierno dio autorización para que intervinieran los rangers de Texas y reprimieran a los huelguistas. Algunos de los obreros que participaron de la huelga murieron en la incursión, mientras que los sobrevivientes fueron despedidos. La huelga se encontraba respaldada por miembros del Partido Liberal Mexicano, organización creada en 1902 por los hermanos Enrique y Ricardo Flores Magón, entre otros, para acabar con el régimen de Porfirio Díaz. El Partido fue perseguido y sus miembros tuvieron que huir a Estados Unidos.

En medio de este marco de decadencia del Porfiriato sucedió un hecho que pareció iluminar el panorama al favorecer, aunque fuera en apariencia, la transición pacífica hacia una nueva época. En 1908, el presidente Díaz fue entrevistado por un periodista estadounidense de apellido Creelman. La entrevista llegó a un punto en el que el presidente habló sobre el futuro del país, en particular sobre las elecciones a celebrarse en 1910. Expresó que ya no se reelegiría y que vería con buenos ojos el surgimiento de partidos de oposición, en lo que era una manifiesta aceptación del establecimiento de un sistema democrático en México. Esta entrevista, considerada como el permiso dado por el dictador, distendió el ambiente político del país, pues los grupos de clase media y alta comenzaron a crear sus propios partidos políticos, algo que jamás siquiera habían pensado.

Un año más tarde, en 1909, los partidos políticos aumentaban en México. Se fundó el Partido Democrático, que tenía entre sus filas a representantes de varias corrientes políticas y cuyas propuestas eran la de restringir el voto para hacerlo más efectivo, respetar las libertades constitucionales y la creación de leyes que protegieran a obreros y campesinos.

Los porfiristas, temerosos de perder sus privilegios y posición, fundaron a mediados de ese año —y sin la anuencia del presidente— el Club Central Reeleccionista, que en su convención postularía la fórmula Díaz (presidente) y Ramón Corral (vicepresidente) para el periodo 1910-1916. En 1909 se fundó el Partido Reyista, que proponía como candidato a la presidencia a Bernardo Reyes —secretario de Guerra y gobernador de Nuevo León— y entre cuyos miembros se contaba un personaje que posteriormente tendría gran importancia: Venustiano Carranza. Los clubes reyistas, filiales del partido, proliferaron por todo el país, al grado de que fueron reprimidos por parte de las autoridades locales.

Desde inicios de 1909, Francisco I. Madero, un hacendado del estado de Coahuila, buscó organizar un partido bajo el principio de "sufragio efectivo, no reelección." En mayo fundó el Centro Antirreeleccionista. Algunos miembros de esta agrupación eran José Vasconcelos y Luis Cabrera. Acto seguido, Madero inició giras por la provincia con la idea de fundar clubes filiales que acudieran a una convención nacional con el fin de elegir a los candidatos a la presidencia y vicepresidencia en las siguientes elecciones. En 1910 se llevó a cabo la Convención Nacional del Centro Antirreeleccionista, en la que se escogió a Madero como candidato a la presidencia y se definieron las propuestas del partido, que eran la no reelección del presidente y vicepresidente, el respeto a la Constitución y a todas las libertades que de ella emanan y establecer condiciones de vida dignas para todos los mexicanos.

En 1910 causó gran sorpresa a la sociedad, y en particular a los miembros del Club Central Reeleccionista, cuando Díaz aceptó su invitación e hizo público su interés por reelegirse. Ello cambió contundentemente el panorama. Muchos comenzaron a sospechar que se estaba fraguando otro fraude, mientras que otros, como Reyes, no quisieron tener problemas con el presidente, declinaron su candidatura y, en consecuencia, algunas organizaciones políticas tuvieron que desmantelarse.

Madero no se desalentó y continuó con sus campañas proselitistas por todo México. En junio de 1910 llegó a Monterrey y, tras haber finalizado su discurso, fue encarcelado con sus colaboradores por los cargos (inventados) de sedición y ofensas a la autoridad. Posteriormente fueron enviados al penal de San Luis Potosí.

¿Qué motivó a Díaz a actuar de esta manera? Es un hecho que Díaz deseaba la continuidad en el poder y que Madero era un obstáculo para ello. Hay quienes aseguran que el único candidato fuerte al que se tuvo que enfrentar Díaz en todas sus reelecciones fue Madero, a quien la gente veía como el único con la fuerza necesaria para quitarle la presidencia.

En julio se llevaron a cabo las elecciones. Como Madero estaba en la cárcel, no pudo competir en ellas y, como era de esperarse, Díaz triunfó una vez más. Pasado el peligro, Madero y sus compañeros fueron liberados mientras que otros miembros de su partido impugnaban inútilmente el proceso electoral ante la Cámara de Diputados. Tras esta desastrosa experiencia, a Madero le quedó claro que la única forma de hacer el cambio político y social en el país era a través de las armas.

Capítulo 8

La Revolución Mexicana: la lucha armada (1910-1917)

La etapa maderista (1910-1913)

Una vez libre, Madero huyó a San Antonio, Texas, y ahí redactó el Plan de San Luis Potosí con algunos de sus partidarios. Entre ellos se encontraba Aquiles Serdán. Cuando éste regresó a la ciudad de Puebla, donde residía, fue muerto por la policía, siendo la primera víctima de la Revolución. Tradicionalmente se considera al Plan de San Luis como el primer documento de la Revolución Mexicana, pues en él se declaraban nulas las elecciones y desaparecidos los poderes nacionales; Madero asumiría provisionalmente la presidencia y convocaría a elecciones; también se prometía a los indígenas la restitución de sus tierras y se invitaba a que los mexicanos se levantaran en armas el 20 de noviembre de 1910.

Llegado el día en cuestión, fueron pocos los que siguieron el llamamiento, pues el plan casi no había tenido difusión y Madero había retornado al país apenas el día anterior. A inicios de 1911 la situación era diferente, pues habían surgido varios grupos rebeldes en el norte y el centro de la república. Estos movimientos estaban encabezados por individuos de distinto origen y con diferentes objetivos. Pascual Orozco era un ranchero de familia acomodada que, por el monopolio político y económico que ejercía la familia Terrazas, no había podido llevar a cabo sus aspiraciones políticas en Chihuahua. También se encontraba Doroteo Arango, mejor conocido como Pancho Villa, dedicado primeramente al bandolerismo. Sus acciones carecían de principios ideológicos,

El presidente
Francisco I. Madero.

más bien eran viscerales y estaban relacionadas con el gran resentimiento que tenía. Para atraer gente a su movimiento, proponía el reparto agrario con la promesa de convertir a los campesinos en pequeños propietarios.

Uno de los líderes más famosos fue Emiliano Zapata, en el estado de Morelos. Inició la lucha armada para que se les restituyeran las tierras a los campesinos que habían sido despojados y exigía el reparto agrario para que beneficiara a aquellos que jamás habían sido propietarios. Proponía que las tierras restituidas fueran trabajadas colectivamente. Aunque la labor de Zapata era loable, pues él era de los pocos campesinos morelenses que vivían dignamente, la problemática de su movimiento consistía en que era muy local.

Aunque estos líderes —incluyendo al propio Madero— carecían de experiencia militar, lograron organizar contingentes armados que una y otra vez derrotaron a un ejército federal viejo, mal preparado y con un armamento anticuado. A pesar de que sus generales le ocultaban estos fracasos a Díaz, él los conocía gracias a sus informadores, y a inicios de 1911 comenzaron a preocuparle.

Cuando cayó Ciudad Juárez en manos de los revolucionarios (mayo de 1911), Madero fue nombrado presidente provisional y de inmediato comenzó a realizar las negociaciones con Díaz para que éste dejara el poder. Díaz sabía que todo estaba perdido, así que aceptó negociar con los levantados. A finales de ese mes, las dos partes en conflicto llegaron a un acuerdo en el que el presidente renunciaba a su puesto a cambio de que Madero aceptara a Francisco León de la Barra (secretario de Relaciones Exteriores) como presidente interino y que se comprometiera a no hacer cambios en los poderes legislativo y judicial. Aunque tales disposiciones violaban lo establecido en el Plan de San Luis, el jefe revolucionario las aceptó al considerar que eran la única forma de consumar el movimiento que había iniciado.

Por su parte, Díaz abandonó el país el 30 de mayo con destino a Europa. Nunca más regresó. En 1915 murió en Francia el hombre que, por treinta años, tuvo el poder absoluto en México. La presidencia de Francisco León de la Barra era vista por Madero como un puente entre el régimen caído y la elección del nuevo. Tal vez fue el licenciamiento de las tropas insurgentes la tarea más ardua a la que se tuvo que enfrentar León de la Barra, pues si bien sus gestiones fueron exitosas en el norte, Emiliano Zapata, líder del Ejército Libertador del Sur, en Morelos, expresó claramente que no entregaría las armas hasta que se restituyeran las tierras a los campesinos.

A finales de 1911 se llevaron a cabo las elecciones presidenciales, mismas que ganaron la dupla Madero-Pino Suárez. El contexto del momento ya no era tan favorable al líder revolucionario, pues su pacto con Díaz, su reconocimiento de León de la Barra y el haber permitido el licenciamiento de las tropas revolucionarias fueron actos que le restaron popularidad y apoyos. El principio de la presidencia de Madero fue muy difícil, dado que contaba con un Congreso y una Suprema Corte de Justicia porfiristas que hacían muy bien su labor, es decir, oponerse constantemente al ejecutivo. Sin embargo, no tomó medidas al respecto pues había acordado con Díaz que las elecciones para renovar estos poderes se llevarían a cabo en 1912 y estaba dispuesto a mantener su palabra.

Otro factor que también dificultó la labor política de Madero fue la prensa. Como liberal que era, quitó las trabas que la habían obstaculizado para que ésta pudiera laborar en un ámbito de plena libertad de expresión. Ni las reflexiones de su hermano, Gustavo A. Madero, respecto a la inconveniencia de que la prensa pasara de un estado de sometimiento total a otro de autonomía total le convencieron de no dar este paso. Dada la libertad de imprenta, la prensa porfirista le atacó despiadadamente. Claro está que la prensa maderista salió en la defensa del presidente, pero el uso de argumentos un tanto dogmáticos, aunado a la sospecha de que era financiada por el régimen, le restaron fuerza para poder cumplir con su cometido.

Un obstáculo más en la gestión de Madero fue la necesidad de pacificar el país. El presidente no entendía cómo era posible que hubiera caudillos levantados en armas si la Revolución ya había cumplido con su objetivo: derrocar a Porfirio Díaz. Lo que jamás comprendió fue que cada caudillo tenía un concepto diferente de Revolución y, si para él ésta debía acabar con la dictadura; para Zapata, por citar un ejemplo, no acabaría hasta que se cumpliera con el reparto y restitución agrarios. Por ello, cuando éste, Orozco, Villa, Félix Díaz y otros no vieron cumplidas sus expectativas, continuaron peleando, sólo que ahora contra el nuevo régimen. Así, en 1912 Zapata emitió su Plan de Ayala y Orozco el Pacto de la Empacadora, documentos que, entre otras cosas, desconocían a Madero como presidente legítimo de México.

De todos estos movimientos, el zapatismo era considerado por Madero como el más peligroso, pues se estaba expandiendo rápidamente en las cercanías de la ciudad de México. En principio, intentó dialogar con Zapata, el caudillo suriano, pero no pudieron llegar a un acuerdo pues Madero se rehusaba a hacer el reparto agrario. Tras este fracaso, el presidente inició una persecución armada contra el revolucionario que fracasó, pues jamás se le pudo aprehender.

En noviembre de 1911, Bernardo Reyes regresó al país para encabezar un levantamiento contra Madero que le permitiera ocupar la presidencia. Publicó el Plan de la Soledad, en el acusaba a Madero de ser un dictador, lo desconocía como presidente de México y otorgaba el mando supremo del movimiento a los militares de mayor graduación. El plan no fue seguido por la sociedad mexicana, por lo que Reyes fue aprehendido fácilmente. Aunque las leyes indicaban que el prisionero debía ser ejecutado por traición, Madero mostró debilidad, pues optó por perdonarlo y aprisionarlo en la cárcel de Santiago de Tlatelolco, localizada en la ciudad de México.

Emiliano Zapata.

En 1912 Pascual Orozco también se levantó en armas contra el gobierno de Madero y dio a la luz pública su Pacto de la Empacadora, un texto cuya naturaleza, por buscar un apoyo social total, era un tanto contradictoria. En él Orozco desconocía a Madero, pero curiosamente no proponía a persona alguna como presidente interino. De los insurrectos, fue el más fácil de someter, pues Madero envió al general Victoriano Huerta para que combatiera contra él. Huerta logró aprehenderlo en agosto del mismo año.

Otro caudillo "revolucionario" fue Félix Díaz, quien en octubre de 1912 encabezó un levantamiento contra el gobierno en Veracruz. Acusó a Madero de ser incapaz de garantizar la paz en el país. Las tropas federales lo derrotaron y apresaron fácilmente. La Suprema Corte de Justicia, por presiones de los grupos acomodados de la ciudad de México, le conmutó la pena de muerte por la de cadena perpetua. Al igual que Bernardo Reyes, fue encarcelado en la prisión de Tlatelolco.

En realidad, Madero no pudo hacer mucho por el país, pues su administración se caracterizó más por solucionar problemas de carácter político y militar que por gobernar. Sin embargo, la verdadera crisis del maderismo llegó en febrero de 1913.

127

El día 9, un contingente encabezado por el general Manuel Mondragón se dirigió a la cárcel de Tlatelolco para liberar al también general Bernardo Reyes y a Félix Díaz, quien era sobrino de Porfirio Díaz. Cuando Reyes salió de prisión, se dirigió a la Plaza de la Constitución (la antigua plaza mayor o Zócalo) para levantar a la guarnición del Palacio Nacional, pero en el ataque perdió la vida Así se inició un periodo de gran violencia conocido como la "Decena Trágica".

Félix Díaz y Mondragón establecieron su cuartel en la Ciudadela, desde donde pensaban organizar la caída del presidente. Cuando Madero tuvo noticias de ello, marchó al Palacio Nacional y encargó al general Victoriano Huerta que sometiera a los atrincherados. Sin embargo, Huerta tenía sus planes y envió a un representante suyo para que negociara con los levantados.

Mientras tanto, el embajador estadounidense en México, Henry Lane Wilson, decidió intervenir en el conflicto. El 18 de febrero, Díaz y Huerta firmaban un tratado en el que el embajador americano fungió como testigo. En el Pacto de la Embajada se acordó que Huerta detendría a Madero y Pino Suárez y ocuparía temporalmente la presidencia para convocar a unas elecciones presidenciales que ganaría Félix Díaz. Al día siguiente, Madero y Pino Suárez fueron obligados por Huerta a presentar sus renuncias al Congreso, el cual nombró como presidente interino a Pedro Lascuráin, que en 45 minutos nombró a Huerta como único miembro de su gabinete y renunció a la presidencia del país. Por eliminación, Victoriano Huerta debía ocupar provisionalmente la presidencia. Madero y Pino Suárez estuvieron encarcelados en Palacio Nacional y el 22 de febrero Huerta ordenó su asesinato.

El gobierno de Victoriano Huerta (1913-1914)

Ya en el poder, y sin el obstáculo de Madero, Huerta quiso que su gestión fuera una extensión de la de Porfirio Díaz en todos los aspectos. Para ello tuvo que poner en práctica una campaña pacificadora que, curiosamente, no empezó por la vía armada.

La pacificación también tuvo su lado violento, pues Huerta inició una campaña contra sus opositores, a los que mandaba asesinar como ejemplo de la poca tolerancia que iba a imperar en su régimen. Cuando esta política no mermó la voluntad de los diputados y senadores, Huerta decidió disolver el Congreso y convocar a elecciones para escoger uno nuevo y, por supuesto, más dócil y leal. Cuando se eligió el nuevo poder legislativo, a finales de 1913, muchos incondicionales del presidente ocuparon un lugar en las cámaras de diputados y senadores. Ello facilito la labor de Huerta pues, entre otras cosas, logró romper lo pactado con Félix Díaz al lograr que el Congreso aplazara las elecciones indefinidamente.

La muerte de Madero y la posibilidad de caer en otra dictadura alarmó a muchos revolucionarios, en particular a Venustiano Carranza, gobernador del estado de Coahuila, en el norte del país, quien tras la llegada de Huerta al poder decidió organizar un movimiento que juntase a todos los opositores para quitar al usurpador Huerta de la presidencia. Decidió llamar a su movimiento "Constitucionalista", no porque quisiera que el país tuviera una nueva Carta Magna, sino porque deseaba que la existente (la de 1857) fuera cabalmente respetada. Para darle más fuerza a este proyecto, emitió el Plan de Guadalupe, en el que se desconocía a los tres poderes de la Unión (ejecutivo, legislativo y judicial), se creaba el ejército constitucionalista y se aclaraba que, tras el triunfo, el jefe del movimiento (Carranza) sería nombrado presidente interino y debería convocar a elecciones.

El mérito de Carranza consistió en que en poco tiempo logró atraer a su causa a los grandes líderes revolucionarios que también se oponían a Huerta (Obregón, Zapata, Villa, Benjamín Hill, principalmente). También logró obtener el apoyo militar de Estados Unidos, basado en la venta de armas, nación que no reconocía a Huerta como presidente legítimo y que no veía con malos ojos que Carranza ocupara el ejecutivo nacional.

A Huerta esta situación no le preocupó, en particular el apoyo que los revolucionarios recibían de Estados Unidos, porque también consideraba que la marcada disparidad de personalidades y proyectos de los miembros del ejército constitucionalista iban a impedir su triunfo.

A pesar de la gran cantidad de hombres que tenía, Huerta sumó una serie de derrotas militares por todo el país frente a un ejército

Francisco Villa.

revolucionario que, a mediados de 1914, controlaba las ciudades más importantes de la república. El ejecutivo seguía teniendo la esperanza de que las divisiones entre los constitucionalistas, principalmente entre Francisco Villa y el general Obregón, acabaran con la unidad del movimiento, pero la intervención oportuna de Carranza para salvar las diferencias impidió la separación. Parte fundamental de esta labor fue la firma del Pacto de Torreón, en el que se especificaba que al triunfo del movimiento se instalaría una Convención integrada por los representantes de los jefes del ejército constitucionalista. Esta Convención debería convocar a elecciones generales y elaborar un programa de gobierno para el país.

Estados Unidos también ayudó a los alzados, pues el 21 de abril de 1913 invadió el puerto de Veracruz, punto neurálgico del comercio exterior mexicano, a pesar de la valiente resistencia de los habitantes y los cadetes de la escuela naval. Con el pretexto del maltrato que habían recibido unos soldados americanos en Tamaulipas, barcos y marinos de esta nación llegaron al puerto en cuestión, lo tomaron y comenzaron a administrarlo. Fue un duro golpe para Huerta, que había logrado por fin que los alemanes le vendieran armas para combatir a sus enemigos pero, con la ocupación de Veracruz, las armas jamás llegaron.

En la ciudad de México, para combatir a los diputados de la oposición, Huerta disolvió las cámaras, y mandó asesinar al senador Belisario Domínguez y a dos diputados: Serapio Rendón y Adolfo Gurrión.

Frente a este panorama, no pudiendo combatir a los victoriosos ejércitos constitucionalistas, Huerta no tuvo más opción que presentar su renuncia al Congreso el 15 de julio de 1914. En su lugar quedó como presidente interino Francisco Carbajal, cuya labor fue la de arreglar todo para que los revolucionarios entraran a la ciudad de México.

La lucha entre los revolucionarios por el poder (1914 - 1917)

Después de ser disuelto el ejército federal por medio de un tratado firmado en Teoloyucan, Estado de México, y tras entrar a la capital de la nación, Venustiano Carranza comenzó a enfrentarse a las diferencias que surgieron rápidamente entre los revolucionarios. Los representantes de Carranza no pudieron convencer a Zapata de que asistiera a la Convención, pues no quería que ésta se organizara en la ciudad de México; mientras que Villa tomaba una postura ambigua en la que en ocasiones afirmaba que asistiría a la Convención y en otras amenazaba con no presentarse, ello derivado del afán de Villa por perjudicar al líder constitucionalista —con el que había tenido ciertos roces en últimos meses—, ya que no tenía intención de participar en la reunión.

La Convención se inició en octubre de 1914 en la ciudad de México solamente con delegados carrancistas. Carranza fue reconocido como presidente interino y también se discutió si era conveniente o no trasladar la Convención a Aguascalientes para que asistieran los representantes de Villa, propuesta que fue aceptada. Cuando Villa se enteró de ello, aceptó enviar delegados a este evento y, poco tiempo después, Zapata también transigió.

La ciudad de Aguascalientes era controlada por el ejército villista, lo que representaba un peligro para Carranza quien, tras observar cómo villistas y zapatistas hacían un frente común en su contra, decidió marcharse a Veracruz y desligarse de la Convención, pues sabía que ahí tenía la situación perdida. Esto no impidió a los asistentes a la Convención elegir como presidente interino, por un lapso de 20 días, a Eulalio Gutiérrez. Carranza desconoció la elección porque Gutiérrez era un incondicional de Villa. La respuesta que los zapatistas y villistas le dieron fue sencilla y contundente: acordaron que la Convención se trasladaría a la ciudad de México cuando Villa entrara en ella.

En diciembre de 1914 las tensiones entre los revolucionarios eran tan fuertes que todo parecía indicar que iba a estallar un enfrentamiento entre ellos. Carranza decidió hacer algunos cambios a su Plan de Guadalupe para poder contar con más seguidores. Las adiciones fueron de carácter social e incluyeron el reparto agrario, el mejoramiento de la calidad de vida de obreros y campesinos y el establecimiento de un sistema más equitativo, entre otros cambios.

En diciembre de 1914 Villa y Zapata entraron a la Ciudad de México acompañando la entrada triunfal del presidente convencionista Eulalio Gutiérrez. Villa estaba al frente de un ejército de 50,000 hombres, y a Zapata lo acompañaban 15,000. Los citadinos los vitorearon y fueron recibidos en Palacio Nacional por el presidente y el cuerpo diplomático extranjero.

A principios de 1915, se inició la lucha armada entre Villa y Zapata contra Carranza. Tras las primeras acciones militares, el villismo logró expandirse por el norte y el occidente del país, mientras que Carranza enfocó sus esfuerzos por recuperar la capital, acontecimiento consumado el 28 de enero de 1915, cuando el ejército del general Álvaro Obregón derrotó a las tropas zapatistas que custodiaban la urbe, generando así la evacuación de la Convención rumbo a Cuernavaca. Este hecho ayudó a que terminara la alianza entre Villa y Zapata, pues para el primero el segundo ya no era militarmente importante.

A continuación, Obregón inició una campaña sistemática de persecución contra Villa. El 6 y 7 de abril de 1915 logró derrotarlo en la región del Bajío, en las dos batallas de Celaya, donde Villa pudo apreciar que militarmente se encontraba acabado y, por ello, quiso congraciarse con Carranza, pero éste se negó y ordenó a Obregón que continuara con su campaña. En la acción militar que Obregón llevó a cabo en Celaya, perdió el brazo derecho como consecuencia de una herida.

Villa, retirado en el norte del país, se dedicó a una activa acción guerrillera y, buscando complicarle internacionalmente las cosas a Carranza y al mismo tiempo vengarse de los estadounidenses por no haber reconocido su gobierno, atacó con 500 hombres a caballo la ciudad fronteriza de Columbus (Nuevo México). El gobierno de Estados Unidos envió al general Pershing con tropas norteamericanas al territorio nacional para realizar una expedición de castigo. Una fuerza de 10,000 soldados norteamericanos exploró durante once meses buena parte del norte de Chihuahua, pero nunca encontraron a Villa.

Con Francisco Villa militarmente debilitado y Emiliano Zapata sitiado en el Morelos ambos protagonistas principales de la Convención de Aguascalientes, Carranza decidió que había llegado el momento de convocar a un Congreso constituyente que le diera al país una nueva Carta Magna. Este cambio de opinión se debió a que la Revolución había generado tantos cambios en México que era imposible que éste se siguiera gobernando con una Constitución creada en otro contexto y época.

El Congreso se reunió en la ciudad de Querétaro a partir de diciembre de 1916. En su seno no tuvieron cabida ni zapatistas ni villistas, pues Carranza deseaba que sólo tuvieran participación los "triunfadores" de la Revolución. A pesar de ello, en el Congreso surgieron dos corrientes: la moderada, que era de ideología liberal ortodoxa, y la de los radicales, que proponían la creación de un Estado fuerte que promoviera las reformas sociales. Los debates entre ambas fueron muy fructíferos pues generalmente culminaron en propuestas consensuadas que, a su vez, permitieron la promulgación de la Constitución el 5 de febrero de 1917, la más vanguardista de su época.

Capítulo 9

La creación y consolidación del Estado mexicano (1917 - Actual)

La presidencia de Venustiano Carranza (1917-1920)

En marzo de 1917 se llevó a cabo un proceso electoral para renovar los poderes ejecutivo y legislativo. Venustiano Carranza resultó electo como presidente del país y sus candidatos obtuvieron todas las curules en las cámaras de diputados y senadores.

Cuando asumió la presidencia, tuvo que echar mano de algunas de las tácticas aplicadas por Díaz décadas atrás. Al igual que el dictador, se percató de que a este proceso lo acompañaba la centralización del poder en manos del ejecutivo. Fue por lo anterior que dio la orden a los Congresos de cada estado de la república mexicana de que convocasen a elecciones para la renovación de los poderes; los resultados de los procesos electorales fueron convenientes para el presidente, pues casi la totalidad de los candidatos carrancistas lograron ocupar las gubernaturas en disputa.

Como ésta era todavía una época donde el "México bronco" estaba a flor de piel, el presidente sabía que no todos los disconformes y levantados en armas iban a colaborar voluntariamente en el proceso. Dado que era un hecho que habría que reprimir para poner en orden al país, era importante contar con un ejército fiel y competente que pudiera llevar a cabo esta labor, pero el ejército mexicano surgido durante

Venustiano Carranza.

la Revolución no contaba con ninguna de estas características y, por ello, debía ser reformado.

La reforma tuvo muy poco éxito, puesto que la ausencia de recursos económicos suficientes impidió la aplicación del proyecto de retiros anticipados y la contratación de buenos profesores para las escuelas militares; además, la Revolución dejó tantos vicios en el ejército, que éstos no podían ser erradicados en un corto plazo sólo con unas cuantas reformas que se realizaran a través del tiempo. A pesar de ello, el ejército emanado de la Revolución cumplió parcialmente con esta labor pues, en un lapso de tres años, logró someter y ajusticiar a Emiliano Zapata y a los generales Felipe Ángeles y Manuel Blanquet, todos revolucionarios importantes. Tal vez el caso más sonado fue el de Zapata, pues su muerte se debió a una traición ideada por el gobierno, que le preparó una emboscada en la hacienda de Chinameca, Morelos, donde fue asesinado el 10 de abril de 1919.

El Congreso fue un dolor de cabeza para Carranza, pues mientras que el rompimiento entre él y el general Obregón (debido en gran medida a las ambiciones políticas del segundo) no era público y evidente, los diputados y senadores le fueron leales, pero cuando no se pudieron seguir guardando las apariencias, los miembros del poder legislativo mostraron su apoyo a Obregón por ser un líder más joven y carismático.

La economía se convirtió en un severo problema para Carranza, pues la Revolución había acabado con el sistema económico generado en el Porfiriato y sumido al país en una profunda crisis. Para estabilizar la moneda, el presidente ordenó que ésta se respaldara con oro, asignándole al peso un valor de 75 centigramos de oro, pues sólo de esta forma se lograría que el peso se revaluara frente al dólar. También organizó el primer Congreso de Industriales, en donde se aclararon las necesidades de la industria nacional. Intentó reconstruir el sistema ferroviario, que había quedado destruido tras la lucha armada (los revolucionarios volaban las vías para hacer descarrilar trenes de tropas federales), pero la falta de recursos económicos impidió la realización del proyecto.

En 1917 le había llegado al presidente el Telegrama Zimmerman. Se trataba de una invitación que el gobierno alemán extendía al mexicano para que rompiera su neutralidad en la Primera Guerra Mundial y participara a su lado; a cambio, los europeos prometían a México la devolución de Texas y de los territorios perdidos con Estados Unidos en 1848. El ofrecimiento era muy atractivo para México, pero Carranza decidió que lo que se le proponía era muy arriesgado y renunció a ello.

Un medio para acabar con la etapa armada de la Revolución, brindarle espacios diferentes —y legítimos— a la sociedad para expresar sus desavenencias con el poder y, a la par, favorecer el fortalecimiento político del país eran los partidos políticos. Los primeros partidos emanados de la Revolución eran pequeñas agrupaciones creadas alrededor de caudillos, siendo muy pocos los que tenían un carácter nacional.

Es innegable que los partidos políticos están vinculados con la cuestión de las elecciones. Desde 1919 la sociedad mexicana comenzó a tener inquietud por las elecciones que se iban a llevar a cabo el siguiente año, pues serían las primeras del México posrevolucionario. Después de que se hiciera pública la convocatoria, el primero que se postuló a la presidencia fue el general Álvaro Obregón.

Obregón había iniciado su campaña electoral de manera velada desde 1917, y ahora aprovechaba la oportunidad de cristalizar ese esfuerzo. No dudó, desde el inicio, en criticar a Carranza, su antiguo jefe, compañero de armas y amigo, por ser inmoral e incapaz de pacificar al país. El ejecutivo respondió a estos ataques postulando a un amigo suyo a la presidencia para que así obstaculizara a su enemigo. El problema es que este candidato, Ignacio Bonillas, era un desconocido y, para muchos, se trataba de un títere del presidente.

Un fuerte revés para Carranza fue cuando el ejército comenzó a mostrar su adhesión a la candidatura de Obregón. Las proclamas y manifiestos al respecto salían publicados todos los días en la prensa, o aparecían pegadas en postes y puertas de las ciudades más importantes del país. La situación empeoró cuando el gobernador de Sonora y amigo íntimo de Obregón, Adolfo de la Huerta, proclamó en 1920, el Plan de Agua Prieta, por el que desconocía a Carranza como presidente de México y proponía que una vez que se hubiera derrocado al gobierno se convocase a elecciones generales.

El levantamiento en todo el país contó con el apoyo de militares y civiles, motivo suficiente para que Carranza tomase la decisión de abandonar la capital y marcharse rumbo a Veracruz, desde donde iniciaría la "reconquista" del poder. Sin embargo, nunca lo pudo hacer. El 20 de mayo el presidente y algunos de sus hombres llegaron después de un viaje a caballo al pueblo de Tlaxcalaltongo, en la sierra de, Puebla, y ahí decidieron pasar la noche en unas chozas. A las tres de la mañana del día 21 varios hombres emboscaron la vivienda donde dormía Carranza y lo asesinaron.

El interinato del presidente Adolfo de la Huerta (1920)

Tras hacerse públicas las noticias sobre el aciago incidente, el Congreso de la Unión eligió a Adolfo de la Huerta como presidente provisional del país.

Aunque la razón de ser de la presidencia de Adolfo de la Huerta era preparar el camino para que Obregón ganara las elecciones, también trabajó a favor de la pacificación del país.

Con relación al ejército, disminuyó la cantidad de soldados que le daban vida de 200,000 a tan sólo 50,000; aquellos que salieron del ejército recibieron tierras y fueron agrupados en colonias militares —tal como lo hacían los romanos siglos atrás—, o bien, se les empleó en fábricas del gobierno como obreros.

Igualmente, combatió a los revolucionarios que aún no dejaban las armas. En ese sentido, De la Huerta se hizo famoso por haber obtenido la rendición de Francisco Villa, quien después de haber tenido una actividad guerrillera desde 1916, decidió rendirse al gobierno federal a cambio de recibir la propiedad de una hacienda en Chihuahua (*Canutillo* era su nombre); no obstante, tiempo después fue asesinado en su coche con algunos de sus partidarios, en una visita al poblado de Parral.

Como había sido acordado al inicio de su presidencia, De la Huerta convocó a elecciones que se celebraron en septiembre de 1920. Álvaro Obregón fue el triunfador absoluto, pues obtuvo 95% de la votación en un proceso destinado a favorecerle frente a los otros candidatos.

La presidencia de Álvaro Obregón (1920-1924)

Cuando Álvaro Obregón llegó a la presidencia su objetivo era dar continuidad, por contradictorio que pudiera parecer, al trabajo realizado por Carranza en torno a la creación de un Estado revolucionario fuerte y, para ello, consideraba necesario combatir todos los obstáculos, en particular el de la regionalización del mando político —entiéndase caciquismos— que impedían la centralización del poder.

Sin embargo, las cosas no eran fáciles para Obregón, en particular por los problemas que tenía con Estados Unidos. El gobierno norteamericano se negaba a reconocerlo como presidente legítimo por haber sido supuesto partícipe de la revuelta que culminó con el asesinato de Venustiano Carranza, presidente constitucional del país. Entre 1921 y 1922 se entablaron pláticas informales entre ambas naciones que no llegaron a un acuerdo. En 1923 se retomó el asunto y, para ello, se creó una comisión mixta y, tres meses después, se firmaron los Tratados de Bucareli, donde el reconocimiento de la administración obregonista y de los posteriores gobiernos mexicanos estaba condicionado a:

1.- El gobierno mexicano se comprometía a compensar los daños sufridos por los ciudadanos norteamericanos radicados en el país entre 1862 y 1917.

2.- El artículo 27 constitucional no sería retroactivo, es decir que los americanos que hubieran adquirido minas, pozos petroleros o propiedades de otra índole antes del 5 de febrero de 1917 no se verían afectados por la aplicación de la Constitución mexicana.

Para poder llevar a cabo la labor de centralización del poder, el presidente decidió echar mano del ejército, que cada día se transformaba en una institución más fiel al gobierno. El uso de militares para acabar con los caciques opositores al gobierno federal fue un recurso efectivo con el que contó Obregón para centralizar el poder, ya que éstos o eran sometidos o bien eran perseguidos por el ejército.

También buscó ejercer un mayor control sobre el movimiento obrero, para lo que realizó mejoras estructurales en sus organizaciones. Obregón respaldó a los trabajadores afiliados a la CROM (Confederación Regional Obrera Mexicana) y, en compensación, recibió todo su apoyo. Fueron las organizaciones obreras independientes las que más problemas dieron al gobierno por su rebeldía, de ahí que, para las autoridades, la insurgencia sindical fuera peligrosa pues atentaba contra el proyecto de centralización del poder.

Como agricultor norteño que era, el presidente deseaba crear pequeños propietarios para que los agricultores se responsabilizaran de sus tierras e incrementaran su productividad; sin embargo, la mayoría de los campesinos deseaban lo contrario, es decir, tierras comunales donde la ausencia de instrumentos de trabajo se supliera con la abundancia de la fuerza humana de trabajo. Este reclamo era tan fuerte que el presidente tuvo que ceder y repartir las tierras en forma de ejidos. Gracias a esta política Obregón gozó del apoyo incondicional de los campesinos a lo largo de su mandato.

El presidente tuvo la visión suficiente para darse cuenta de que un medio para difundir los ideales de la Revolución —y crear así un nacionalismo revolucionario— en toda la sociedad era la educación.

Esta labor tan importante fue delegada en José Vasconcelos, el primer secretario de Educación Pública en México, quien inició una campaña de alfabetización en el país. En esta época se contrató a Diego Rivera, José Clemente Orozco y David Alfaro Siqueiros para que pintaran murales en sitios públicos (edificios del gobierno principalmente) donde quedaran plasmados, en imágenes colosales, los ideales revolucionarios enriquecidos por una ideología socialista basada en el rescate de lo indígena y la obra social del gobierno. Así se inició el posteriormente famoso "muralismo mexicano".

Como había sucedido tres años atrás, la sucesión presidencial no fue pacífica y derivó en una disputa al interior del grupo revolucionario. En 1923 sonaban dos nombres como los posibles sucesores de Álvaro Obregón en la presidencia: Adolfo de la Huerta, secretario de Hacienda, y Plutarco Elías Calles, secretario de Gobernación. Los rumores al respecto estaban bien fundados, pues ambos eran amigos íntimos del presidente y eran respaldados por grupos políticamente fuertes.

En varias ocasiones, De la Huerta expresó en público que no era su intención participar en las elecciones presidenciales, pues sabía que Calles gozaba del apoyo de Obregón. Cuando se hizo pública la postulación de Calles al ejecutivo, muchos militares de graduación no aceptaron este hecho pues Calles, además de ser poco carismático, tenía fama de ser demasiado estricto y exigente con su gente. Por estos motivos comenzaron a presionar a De la Huerta para que también se postulase; De la Huerta renunció a la Secretaría de Hacienda, pero no hizo públicas sus aspiraciones electorales. Obregón no quería que este político afectase sus planes, así que se encargó de que fuera acusado de malversación de fondos como secretario de Hacienda, a lo que De la Huerta respondió aceptando su postulación a la presidencia.

Como sabía que por la vía legal no iba a triunfar, pues la voluntad del presidente era otra, De la Huerta se marchó a Veracruz y ahí se levantó en armas contra el gobierno. Acusaba al presidente de violar la soberanía de los estados, someter al poder legislativo, intentar asesinar a diputados y de querer seguir gobernando al país por medio de Calles. El movimiento huertista prendió por todo el territorio nacional, pero Obregón se encargó de dirigir exitosamente la campaña militar en contra de los alzados, aprovechando la desorganización existente entre ellos. Cuando el levantamiento fue controlado, los mandos que no pudieron huir a Estados Unidos fueron pasados por las armas, a excepción de

141

Adolfo de la Huerta a quien, por haber sido ya presidente del país, se le perdonó la vida a cambio de que dejara el territorio nacional.

Superada la situación, en julio de 1924 se realizaron las elecciones que llevarían a la presidencia al general Plutarco Elías Calles para el periodo 1924-1928.

La presidencia de Plutarco Elías Calles (1924 -1928)

Calles continuó el proyecto de Estado revolucionario que Obregón le había legado. Consideraba que era necesario que el papel centralizador de este Estado cada vez más fuerte tuviera una mayor incidencia en el conjunto de la sociedad.

Reconocía la utilidad de las reformas militares ejecutadas por sus antecesores, pero consideraba que tras lo sucedido en el levantamiento de Adolfo de la Huerta era necesario realizar una reforma a esta institución que la hiciera más leal al presidente. Por ello comisionó al secretario de Guerra, general Joaquín Amaro, para que realizara esta labor. Amaro aplicó un programa modernizador que resultó ser muy efectivo. Reabrió el Colegio Militar, que se encontraba cerrado desde 1914; diseñó un proyecto destinado a profesionalizar a los oficiales; expulsó a aquellos que se sospechaba que podrían organizar levantamientos armados y, por último, dividió al país en 33 jefaturas militares y ordenó que los responsables de ellas fueran removidos cada seis meses para evitar las alianzas personales y las lealtades con otros oficiales.

No fueron ni los políticos ni los obreros ni los campesinos, tampoco el gobierno estadounidense, el mayor obstáculo para el fortalecimiento del Estado revolucionario. Aunque la historia pudiera parecer trillada y anticuada, fue de nuevo la Iglesia la que se volvió a interponer en los planes estatales. Ya desde el gobierno de Carranza las relaciones entre ambas instituciones no habían sido buenas, esencialmente porque la Iglesia se negaba a aceptar la Constitución de 1917 por su carácter francamente anticlerical; sin embargo, tanto Carranza como Obregón procuraron, a pesar de su ateísmo declarado, no provocar al clero.

Sin embargo, esta historia cambió con Calles, pues en el periodo comprendido entre 1926 y 1929 se suscitó un sangriento conflicto armado que pasó a la historia de México como la "Guerra Cristera" o "Cristiada" (localizado esencialmente en el Bajío, Michoacán, Jalisco, Colima, partes de Zacatecas, Durango, Guerrero y Oaxaca). Habría que aclarar que los cristeros eran aquellos que peleaban contra el Estado para defender a la Iglesia y sus convicciones religiosas.

Frente a las agresiones que estaba recibiendo la Iglesia, un grupo considerable de laicos fundó la Liga Nacional Defensora de la Libertad Religiosa, con la finalidad de detener estas agresiones y exigir al gobierno que respetara la libertad de cultos que la Constitución exigía. Sus miembros pedían que el gobierno no pudiese legislar en materia religiosa y que fueran derogados de la Constitución todos aquellos artículos que atentasen contra el libre ejercicio del culto católico. A la par, el episcopado —que es la suma de obispos y arzobispos de un país— creó "el Comité", organismo destinado a comunicarse con el gobierno en todo lo referente a la modificación de las leyes que sometían la Iglesia a la voluntad del Estado.

La Guerra Cristera nació empantanada, pues ninguno de los ejércitos ganó o perdió posiciones. Inicialmente, este movimiento parecía estar en desventaja pues se creía que el ejército federal, por poseer militares profesionales y mejor armamento, derrotaría pronto a los insurrectos por ser un grupo improvisado de soldados. Pero lo cierto es que los cristeros compensaron esas carencias con valor, unión, conocimiento del terreno, así como el apoyo de la población, pues era común ver entre sus ejércitos a ricos y pobres, hacendados y peones, empresarios y obreros, laicos y sacerdotes, todos ellos unidos a favor de la causa.

Frente a este estancamiento, en 1928 comenzó a darse en el interior del episcopado una postura moderada, en la que se mostraba un interés por generar un acercamiento con el gobierno y dar así fin al sangriento conflicto. El presidente, que se encontraba en los últimos días de su mandato, también deseaba acabar con esta situación, pero no quería entrar en contacto directo con las autoridades religiosas, por lo que decidió buscar un mediador que agradase a ambas partes; sin embargo, este objetivo no se pudo concretar porque la presidencia de Calles llego a su fin el primero de diciembre de 1928.

Un aspecto económico muy importante del gobierno de Calles fue el campo. Calles veía que el problema agrícola tenía un carácter tecnológico que no se restringía sólo al reparto agrario. Estaba deseoso de crear un gran grupo de pequeños propietarios, pero tampoco le disgustaban los ejidos pues eran un medio idóneo para ir acabando con los latifundios. La preocupación gubernamental por la cuestión agraria derivó en la promulgación de una gran variedad de leyes que protegían a los ejidatarios y sus tierras de los posibles abusos de las autoridades locales y obligaba al gobierno a dotarles de sistema de riego.

La política petrolera de Calles fue manifiestamente nacionalista y puede ser considerada como un antecedente de la expropiación petrolera. Creó la Ley del Petróleo, en 1927, por la que las compañías extranjeras debían tramitar con el gobierno mexicano un permiso, por cincuenta años, para la explotación de aquellos pozos adquiridos antes del 1º de mayo de 1917. Las compañías que no aceptaran esta disposición perderían los derechos sobre sus pozos. La administración callista tuvo que dar marcha atrás por las presiones del gobierno estadounidense, que salió a la defensa de los intereses de sus petroleros.

El proceso electoral de 1929 ha sido uno de los más interesantes de la historia de México en el siglo XX, pues hizo tambalear a uno de los principios revolucionarios por excelencia: la no reelección del presidente.

Durante el gobierno de Calles, Obregón aparentemente se había retirado de la vida política y se encontraba dedicado a la agricultura, aunque estaba muy seguro de que pronto regresaría al ámbito político nacional. Esta seguridad emanaba de un acuerdo oral al que había llegado con Calles en 1923, por el que ambos se turnarían en la presidencia de México, cuatro años uno, cuatro años el otro. A finales de 1923, cuando Calles no había dado a conocer aún a su candidato, Obregón comenzó a ejercer presión sobre él para que modificara el artículo 82 constitucional y fuera legal la reelección no continua. Calles estaba reacio a ello, pues tenía la idea de que una vez que Obregón retornara al poder no cumpliría con lo acordado. Pero las presiones de su amigo fueron tan fuertes que en 1928 hizo que el Congreso cambiara dicho artículo.

La modificación no fue aceptada por muchos políticos, especialmente por aquellos que tenían aspiraciones presidenciales, por ser una clara violación a la Constitución de 1917. Por lo anterior, los generales Francisco

Serrano y Arnulfo R. Gómez se rebelaron contra Calles y Obregón y postularon sus candidaturas a la presidencia. El presidente no quiso que este problema creciera, por lo que mandó aprehender y asesinar a Serrano en el poblado de Huitzilac (Morelos), cuando era llevado a la ciudad de México. Tres días después, el general Gómez y algunos de sus seguidores fueron capturados y fusilados en Veracruz.

Los católicos también intentaron oponerse a este proyecto. Un coche en marcha lanzó una bomba contra el automóvil de Obregón cuando se encontraba en Chapultepec. Aunque el candidato no resultó muerto o lesionado, las autoridades de la ciudad llevaron a cabo una investigación que puso de manifiesto que los responsables del hecho habían sido Luis Segura Vilchis, Humberto Pro Juárez y el jesuita Miguel Agustín Pro, todos miembros de la Liga Nacional Defensora de la Libertad Religiosa. Todos fueron aprehendidos y ajusticiados.

El 2 julio de 1928, Obregón triunfó en las urnas y quedó como presidente electo; no obstante, 15 días después, mientras celebraba su triunfo en el parque de La Bombilla, fue asesinado por el dibujante León Toral, quien resultó ser un fanático religioso que había sido convencido por la abadesa Concepción Acevedo para llevar a cabo el crimen. Los autores material e intelectual del asesinato fueron procesados y condenados a la pena capital en el caso de Toral, y a 20 años de cárcel la abadesa. Los obregonistas radicales, a pesar de las evidencias, acusaron a Calles de ser el autor del crimen. Calles se defendió alegando que era la primera vez en años que el país carecía de caudillos y que ello favorecería el paso del México caudillista al México de las instituciones políticas; a partir de este momento, la prensa lo comenzó a llamar *el Jefe Máximo de la Revolución Mexicana*.

El Maximato (1928 - 1934)

Con el nombre de Maximato se conoce a la época en la que la política mexicana era dirigida por el Jefe Máximo de la Revolución: Plutarco Elías Calles. Como Calles no podía ocupar la presidencia en el periodo inmediatamente posterior al suyo, y tampoco deseaba la reelección continua por lo sucedido tras el asesinato de Obregón, pensó que sería conveniente gobernar al país por medio de la manipulación de presidentes impuestos, de manera discreta, por él.

145

Por la sorpresa generada por el asesinato, Calles tuvo que buscar un presidente interino que ocupara la presidencia. La elección recayó en Emilio Portes Gil por varias razones: era un hombre al que no se le ligaba ni al obregonismo ni al callismo y, además, era un político distinguido.

Portes Gil comprendió desde el inicio cuál era su situación; muestra de ello fue su interés, pues se dedicó a trabajar en el proyecto callista de consolidar el Estado revolucionario y desarrollar la economía de México. En virtud de lo anterior, apoyó a Calles cuando comenzó a formarse un nuevo partido político que uniera y disciplinara a toda la familia revolucionaria. En diciembre de 1928 se fundó el Partido Nacional Revolucionario (PNR) —que fue el primer nombre que tuvo el actual PRI—, el Jefe Máximo fue nombrado su presidente y se dio la orden de que todos los funcionarios públicos se afiliaran. El partido también representaba —y descaba controlar paralelamente— a las bases de la sociedad mexicana, es decir, a los obreros y campesinos que, en su conjunto, formaban el grupo mayoritario de la sociedad mexicana.

Otro grave asunto que se presentó fue el del levantamiento escobarista. En marzo de 1929, estalló un levantamiento armado dirigido por Gonzalo Escobar en varios estados de la república. Bajo la bandera del Plan de Hermosillo, los levantados desconocían a Emilio Portes Gil como presidente del país, así como a todas las autoridades que no se adhirieran al movimiento, y también invitaban al pueblo a secundar su asonada. Frente a este panorama, el presidente nombró a Calles secretario de Guerra y Marina para que detuviese a los rebeldes, objetivo que logró tres meses después al aprehender, exiliar o fusilar a los levantados.

En materia religiosa Portes Gil, con la asesoría de Calles, dio solución al conflicto cristero. En 1929 la Iglesia y el Estado coincidieron en que fuera Dwight Morrow, embajador de Estados Unidos, mediador en el conflicto y fue gracias a sus gestiones que se logró llegar a un acuerdo conocido como los arreglos de 1929, por el cual la Iglesia se comprometía a no intervenir en materia política, y a cambio el Estado procuraría ser más tolerante en la aplicación de la legislación religiosa. De hecho, ambas partes coincidieron en que la situación quedase tal y como estaba antes de que estallara el conflicto. Muchos cristeros y adeptos al gobierno se irritaron por esto, pues ellos y sus familias habían hecho un gran sacrificio para que, a final de cuentas, las cosas no cambiasen.

A fines de 1929 se inició la agitación política en México, las especulaciones sobre quién iba a ser el candidato "oficial" a la presidencia circulaban por toda la nación. Para muchos, el que más oportunidades tenía era Aarón Sáenz, gobernador de Nuevo León, pues se trataba de un político amigo de Calles y por demás hábil para las cuestiones del gobierno. De hecho, ese era su mayor defecto, pues Calles consideraba que una vez que estuviera en la presidencia mostraría rebeldía y no se dejaría controlar. Por el contrario, mandó llamar a Pascual Ortiz Rubio para que regresara a México y fuera el candidato presidencial del PNR. Ortiz Rubio consideró justa la invitación, pensando que apenas se estaban reconociendo sus méritos como revolucionario. El diplomático era una persona que ignoraba lo que pasaba en México y que no tenía detrás un grupo político que lo apoyase. En marzo de 1929, durante la Primera Convención Nacional del PNR, las bases del partido elegían a Pascual a Ortiz Rubio como su candidato a la presidencia para el periodo 1930-1934.

Cuando todo parecía preparado para el triunfo del candidato callista, hizo su aparición José Vasconcelos, el antiguo secretario de Educación Pública. El mayor opositor del candidato oficial fue Vasconcelos, quien había logrado reunir a la mayoría de los revolucionarios de 1910 y de la oposición antigubernamental procedentes del Partido Nacional Antirreeleccionista.

La campaña vasconcelista, basada en los valores de la democracia y la moralidad, se inició en Estados Unidos y rápidamente pasó a México, en donde tuvo algunos problemas (encarcelamientos injustificados, desaparición de partidarios…), en su mayoría planeados por el gobierno; ello motivó al candidato a pensar en la probabilidad de que se cometiese un fraude que favoreciera a Pascual Ortiz Rubio. Tras un proceso electoral en el que los fraudes fueron la constante, se procedió a declarar a Pascual Ortiz Rubio como presidente electo de México para el periodo 1930-1934. José Vasconcelos se sintió defraudado pero, al no tener más opciones, se autoexilió en los Estados Unidos donde permaneció hasta 1940.

La administración de Ortiz Rubio promulgó la Doctrina Estrada, que definía la posición de México respecto al reconocimiento de los gobiernos de otros países. El principio de esta doctrina es el de la no-intervención en los asuntos internos de cualquier nación.

La crisis se generó a fines de 1931, cuando Calles obligó a Pascual Ortiz a pedir la renuncia a cuatro militares miembros del gabinete presidencial (entre los cuales estaban Joaquín Amaro y Lázaro Cárdenas), a pesar de que el propio presidente los había invitado a trabajar con él hacía poco tiempo. Calles dio el golpe de gracia a Ortiz Rubio cuando se autonombró secretario de Guerra y Marina. Esta situación obligó al presidente a presentar su renuncia el 2 de septiembre de 1932, alegando que con ella evitaba que hubiese desunión entre los revolucionarios y que, además, su salud le impedía seguir desempeñando el cargo.

Tras la renuncia, la Cámara de Diputados volvió a reunirse para designar a un presidente interino que fuera del agrado de Calles y, a final de cuentas, decidieron escoger a Abelardo Rodríguez, pues era un hombre que carecía del apoyo de un grupo político determinado, lo que facilitaría en gran medida las relaciones con el Jefe Máximo durante su periodo presidencial. Desde un principio, a Rodríguez le quedó en claro que él sería una especie de administrador encargado de aplicar las medidas y disposiciones planeadas por Calles.

En realidad, la presidencia de Rodríguez se desarrolló en un ambiente enrarecido por la inquietud de la sociedad por conocer quién iba a ser el siguiente presidente. Manuel Pérez Treviño, Carlos Riva Palacio y Lázaro Cárdenas eran los nombres que más sonaban. Este último, militar michoacano que tenía gran peso político, fue escogido por Calles como candidato del PNR a la presidencia. Tras ser nombrado candidato, llevó a cabo una campaña presidencial por todos los rincones del país, desde las ciudades más importantes hasta las rancherías más recónditas.

El gobierno de Lázaro Cárdenas (1934 - 1940).

Al principio, la presidencia de Cárdenas no despertó expectativas, pues se creía que iba a ser controlado por Calles, ya que el gabinete, creado por el Jefe Máximo, se encontraba conformado mayoritariamente por callistas, y los congresistas, gobernadores y jefes militares eran leales a Calles.

Cárdenas tomó medidas destinadas a ganar apoyo popular: redujo a la mitad su sueldo, cambió la residencia presidencial del Castillo de Chapultepec —que consideraba lujoso— a Los Pinos y ordenó a Telégrafos de México no cobrar por sus servicios a quienes desearan comunicarse con él. Si bien en su momento estas disposiciones fueron consideradas populistas, la aprobación ganada con ellas le permitió asumir una posición política independiente de Calles. Entonces, sustituyó a los jefes de operaciones militares, incrementó el reparto agrario como nunca antes (18 millones de hectáreas) y apoyó a los obreros, permitiéndoles ejercer con mayor libertad su derecho a huelga. Así se formó el Sindicato de Trabajadores Petroleros de la República Mexicana, en 1935.

Después de una dura batalla política, Calles abandonó el país el 10 de abril de 1936, expulsado por Cárdenas. Éste pidió la renuncia del gabinete presidencial, de filiación callista, y neutralizó a otros enemigos militares y políticos. De esa manera dio fin al maximato y consolidó el presidencialismo, el sistema que otorga el poder a quien ocupa el cargo, con lo que se eliminó la lucha armada entre caudillos.

Cárdenas emprendió un ambicioso programa económico que dio un auge inusitado a la construcción de carreteras y promovió la reforma agraria, impulsando la participación de los campesinos en el mercado nacional. En 1937, los obreros del petróleo se declararon en huelga. Después de varios intentos de negociación fallidos, la Suprema Corte de Justicia les dio la razón, pero los dueños de las compañías petroleras se negaron a aceptar el fallo. Para terminar con el conflicto, Cárdenas decretó el 18 de marzo de 1938 la expropiación del petróleo. Las nacionalizaciones de los ferrocarriles (1937) y del petróleo, el recurso natural más importante de México, fueron las medidas más significativas de su plan económico.

Los cambios efectuados por Cárdenas fueron criticados por quienes vieron afectados sus intereses (clases altas y latifundistas). En 1938, Saturnino Cedillo, cacique de San Luis Potosí —y en su momento Secretario de Agricultura del Gobierno cardenista—, quiso llegar al poder por la vía armada aprovechando ese descontento, pero Cárdenas combatió militarmente el alzamiento. Cedillo murió en una escaramuza en la Sierra de La Ventana el 10 de enero de 1939 y su movimiento fue exterminado.

La institucionalización de la política es la aportación más importante del cardenismo a la modernización de México, que en ese momento se preparaba para entrar en una etapa de industrialización. El callista PNR fue sustituido por el PRM en 1938, al que Cárdenas sumó a los obreros y campesinos organizados para neutralizar el poder de los caudillos militares. Su sucesor, Manuel Ávila Camacho, fue un militar que, a diferencia de los otros presidentes, no había tenido una participación muy destacada en la etapa armada de la Revolución.

En el terreno social, el cardenismo se destacó por la creación de instituciones clave para la promoción de la educación, como el Instituto Politécnico Nacional (IPN), el Instituto Nacional de Antropología e Historia (INAH), las Escuelas Normales Rurales y el Colegio de México, además de la propagación de escuelas primarias por todo el país.

Consolidación del Estado mexicano (1946 - Actual).

A partir de 1946, el PRM se transformó en el Partido Revolucionario Institucional (PRI), que llevaría a la presidencia a Miguel Alemán (1946-1952), Adolfo Ruiz Cortines (1952-1958), Adolfo López Mateos (1958-1964), Gustavo Díaz Ordaz (1964-1970), Luis Echeverría (1970-1976), José López Portillo (1976-1982), Miguel de la Madrid (1982-1988), Carlos Salinas (1988-1994) y Ernesto Zedillo (1994-2000).

Ya independientes del periodo cardenista, los hechos que a lo largo del siglo xx significaron la historia mexicana correspondiente a los gobiernos emanados del PRI son la matanza de estudiantes en la Plaza de Tlatelolco en 1968, ordenada por el presidente Díaz Ordaz, según él mismo lo reconoció en su Quinto Informe de Gobierno; la nacionalización de la Banca, efectuada por José López Portillo en 1982, en medio de un clima de crisis económica y devaluación monetaria, y la firma por Carlos Salinas de Gortari del Tratado de Libre Comercio entre Estados Unidos, Canadá y México, que dio origen a una de las zonas comerciales más grandes del mundo y que entró el vigor el

1º de enero de 1994, el mismo día en que, en Chiapas, se levantó en armas la guerrilla del Ejército Zapatista de Liberación Nacional.

A partir del 1º de diciembre de 2000, México vivió un cambio importante, pues la oposición llegó al poder a través del Partido de Acción Nacional (PAN), con Vicente Fox Quesada como presidente, después de 83 años de gobiernos del PRI. El PAN continuó en la presidencia hasta el 2012, con Felipe Calderón Hinojosa.

Ese año, el PRI regresó al gobierno con Enrique Peña Nieto (2012-2018). La promulgación de las llamadas reformas estructurales en los terrenos fiscal, educativo, energético y de telecomunicaciones fue el principal logro de su sexenio, tras un intenso cabildeo con la oposición.

En diciembre de 2018, dando lugar a una nueva alternancia en el poder, empieza el gobierno de Andrés Manuel López Obrador, abanderado del opositor Movimiento de Regeneración Nacional (Morena), que termina en octubre de 2024.